SOLVENCIA
FINANCIERA

SOLVENCIA FINANCIERA

LAS POSICIONES OFENSIVA Y DEFENSIVA Y EL CAMPO DE JUEGO DE LA ECONOMÍA PERSONAL

INTRODUCCIÓN DE LOS EXITOSOS AUTORES, SEGÚN EL *NEW YORK TIMES*

CHRIS BRADY
ORRIN WOODWARD

OBSTACLÉS PRESS

Editado por:

Obstaclés Press
200 Commonwealth Court
Cary NC 27511

Visítenos en:
lifeleadership.com

ISBN: 978-0-9913474-0-7

Primera edición, junio de 2013
10 9 8 7

Diseño del libro de Norm Williams, nwa-inc.com

Impreso en los Estados Unidos de América

DEDICATORIA

Este libro está dedicado a todos los que eligen la excelencia
premeditada sobre la mediocridad complaciente

Índice

Introducción
Chris Brady y Orrin Woodward

Piense en sus primeros recuerdos sobre el dinero. ¿Cuándo se dio cuenta por primera vez de que el dinero tenía el poder de comprar las cosas que quería? ¿Cuándo deseó por primera vez tener suficiente dinero para comprar algo? ¿Cuándo fue la primera vez que le dijeron que no podía tener algo porque no podía pagarlo? ¿Cuál es su primer recuerdo de sostener un montón de dinero y sentirse feliz por eso?

Ahora pregúntese algo más: Cuando piensa en sus primeros recuerdos sobre el dinero, ¿tiene una sensación positiva o negativa? Para muchas personas, los primeros recuerdos sobre el dinero a menudo están asociados a un sentimiento de escasez, que no les alcanzaba para obtener algo que querían. Desafortunadamente, este sentimiento de escasez, al que llamamos «la cuestión del dinero», es muy a menudo la forma en que todavía se sienten muchas personas.

Este sentimiento surge de comprender que no puede costear algo que realmente desea, o que no tiene los recursos para hacer algo que de verdad desea hacer, o que no puede ayudar a alguien que quiere por el simple hecho de que no tiene suficiente dinero. Pero, lo que es más importante, «la cuestión del dinero» a veces evita que la gente alcance su potencial y viva los propósitos más profundos de su vida.

Por supuesto, hay muchas cosas más importantes que el dinero, pero «la cuestión del dinero» es un factor restrictivo para demasiadas personas. Ambos experimentamos este desafío durante nuestra juventud y, ya de adultos, nos propusimos descubrir cómo superarlo. Estas son nuestras historias:

La historia de Chris

Desde que tengo memoria quise destacarme económicamente. Creo que aprendí que el dinero era una herramienta necesaria pero, si no alcanzaba, se convertía en un gran obstáculo. No diría que llegué a ser un materialista codicioso; en cambio, me concentraba más en «ganarlo» y en eliminar «la cuestión del dinero». Parecía que el dinero era una barricada en la vida de muchas personas, obstruía sus caminos y les decía que no podían avanzar.

«No podemos pagarlo» era una frase con la que prácticamente crecí, tanto en mi hogar como en mi comunidad. Parecía que era el límite primordial de las personas.

Pero, de joven, me preguntaba: «¿Por qué no puedo crecer y ganar mucho dinero? ¿Por qué no puedo encontrar una forma de eliminar la restricción monetaria de una vez por todas y vivir mi vida como quiero, en vez de que la falta de dinero me ponga trabas a cada paso?».

Entonces, por supuesto, comencé a perseguir el éxito económico por medio de la fantasía de convertirme en un motociclista profesional. Solo era una fantasía adolescente, que se disipó rápidamente frente a varios hechos: ¡el primero, que no era lo suficientemente bueno! Así que cambié de marcha, por así decirlo, y acepté la filosofía del éxito: «ir a la escuela, tener buenas notas, conseguir un buen trabajo y ascender en la escala corporativa». Esto produjo resultados y un ingreso decente, pero era como usar los zapatos de otra persona: buenos para esa persona, pero no me quedaban bien mí. En ese entonces, trabajaba como ingeniero de General Motors, pero algo no encajaba.

Un día me encontré en una encrucijada en una playa del Caribe, y me hice unas preguntas muy importantes: «¿Esto es todo? ¿No hay nada más? ¿Esta es la vida que quiero? ¿Debería conformarme de por vida o arriesgarme a perseguir mis sueños?».

Esta experiencia me ayudó a salir del camino «normal» de un buen trabajo y una vida en los suburbios para comenzar a perseguir mis sueños. Pero el camino no era fácil. Después de convertirme en emprendedor y tener muchos avances y retrocesos, finalmente encontré la forma de obtener los tipos de ingresos que siempre había querido. Pero no era suficiente. Ganar dinero era sólo la "ofensiva" de la economía personal. Todavía tenía que aprender sobre la posición «defensiva» de la economía y la preservación y el adecuado cometido de la riqueza.

Mediante una administración descuidada, inversiones ingenuas y esperanzadas, así como muchos golpes fuertes, pérdidas y malas decisiones, inescrupulosos socios inversores, transacciones de bienes raíces imprudentes, y otras fallas, aprendí las lecciones que finalmente estabilizaron mi situación económica y determinaron mi opinión definitiva sobre cómo generar riquezas y administrar mi economía.

Lo peor es que todo el tiempo había pensado que era sabio con mi dinero: intentaba hacer lo que «todos» siempre habían recomendado. No despilfarraba en «mujeres, vino y canciones» (estoy felizmente casado, rara vez bebo, ¡y ciertamente no puedo cantar!). En cambio, intentaba invertir mi dinero y aumentarlo con responsabilidad. Recién entonces me di cuenta de cuánto me faltaba aprender.

Resulta que casi «todos» están equivocados en lo referente a la economía personal. De esa consideración surgió el concepto mismo de este libro, y su respectivo cuaderno de ejercicios.

La historia de Orrin

Al igual que Chris, intenté seguir el camino moderno y normal hacia el éxito económico, intentando alcanzar mis sueños con una buena educación y un buen trabajo. De hecho, trabajaba en General Motors y había desarrollado varias patentes de ingeniería cuando mi vida cambió para siempre. Mi esposa, Laurie, y yo discutíamos mucho sobre nuestra economía porque parecía que nunca teníamos suficiente dinero para mantener a nuestra creciente familia.

En ese entonces, me había inscrito en una maestría de la Universidad de Michigan y, una noche después del trabajo, mientras iba a clase, puse una cinta de audio que un amigo me había dado. Lo que escuché en los siguientes cincuenta minutos fue un debate sobre iniciativa empresarial, y me intrigó tanto que empecé a buscar más cintas sobre el mismo tema.

En alguna parte del camino, se me pegaron las ideas de los emprendedores de las cintas, y decidí dar el salto y comenzar mi propio negocio. No fue fácil, pero Laurie y yo seguimos intentándolo y con el tiempo, comenzamos a alcanzar el éxito económico que queríamos. Pero todavía tenía mucho por aprender sobre los principios de la solvencia.

Durante el proceso, ayudé a fundar dos empresas multimillonarias y trabajé con algunas de las mejores personas de esta generación. No siempre ha sido fácil, pero los resultados de la elección de seguir este camino han sido nada menos que increíbles.

Con los años, al trabajar con muchos socios y líderes comerciales, me di cuenta de que las personas más exitosas siguen un mismo patrón. Algunos de nosotros comenzamos con una buena comprensión de los principios económicos, pero los que alcanzan el éxito aprenden nuestra visión sobre los principios de la solvencia y, lo que es más importante, toman medidas para aplicar estos principios en su vida.

Los resultados de aprender los principios de la solvencia y aplicarlos siempre son positivos y, a menudo, pueden ser espectaculares.

Casi todos han cometido errores con su economía personal, como yo, por el simple hecho de que no sabían lo que hacían. Muchas personas recibieron una mala formación económica en su juventud, y la mayoría de los jóvenes adultos son mediocres, en el mejor de los casos, o terribles administrando su dinero cuando se mudan fuera de casa. Por desgracia, solo unas pocas personas son significativamente mejores en esto dos o tres décadas después.

Por eso, este libro puede ser de mucha ayuda para tantas personas: porque delinea los principios de la solvencia que todos deberíamos seguir.

El poder de los principios

Entre los dos, a lo largo de los años, hemos trabajado con cientos y, luego, miles de personas que luchan para mejorar su economía, y hemos visto una y otra vez que unos pocos cambios simples pueden hacer toda la diferencia. De hecho, es increíble lo poco que se necesita de verdad para cambiar la situación y emprender el sendero de la solvencia y la prosperidad.

En realidad, los principios de la solvencia no son ni complicados ni difíciles. Desafortunadamente, muy pocas personas aprenden estos principios básicos y simples que pueden arreglar su economía. La mayoría de las personas parecen estar predispuestas a aferrarse a la oscuridad, a menos que algo importante las empuje a realizar un verdadero cambio. Si siempre ha vivido en un bosque, lo más probable es que crea que el mundo está hecho de árboles, así como un pez probablemente piense que el mundo es solo de agua. Esto nos recuerda la historia de Platón sobre los prisioneros que estaban encerrados en una cueva y suponían que el mundo era una cueva.

Lo mismo ocurre con la comprensión del dinero. Si sus padres tenían problemas de dinero y no sabían ni aplicaban los principios de la solvencia cubiertos en este libro, seguramente usted también tenga problemas. Algunas personas, como nosotros, aprenden los principios del éxito económico mediante prueba y error y otras, gracias a mentores. Pero, a menos que una persona aprenda estos principios y los aplique en su vida diaria, sus problemas económicos no terminarán.

Nuestras escuelas rara vez nos enseñan estos principios; incluso es difícil encontrarlos en los diversos libros sobre el tema. Aunque existen muchos textos sobre economía personal, muchos que incluso enseñan algunos principios de la solvencia, es difícil para los lectores abrirse camino entre decenas de libros para encontrar solo un principio aquí y uno allá.

Los principios del éxito económico son más bien pocos y simples, pero no hemos descubierto un texto único en el que se presenten con efectividad y profundidad de forma tal que realmente se enseñe a las personas a poner en orden su economía. De hecho, casi todos los libros sobre el tema que ahora están disponibles entran en una de tres categorías:

1. Libros sobre la "ofensiva" financiera, que explican formas de ganar dinero, como las obras de Robert Kiyosaki y David Bach, y los numerosos libros sobre inversión, iniciativa empresarial y bienes raíces.

2. Libros sobre la «defensa» económica, que explican formas de ahorrar, hacer presupuestos y cancelar todas las deudas, como las obras de Dave Ramsey, Suze Orman y decenas de otras sobre la superación del endeudamiento.

3. Libros sobre la «posición mediocampista», o «las reglas y la filosofía» de la economía, que explican cómo entender el funcionamiento del dinero y la economía, como los títulos escritos por Ludwig von Mises, Peter Schiff y Murray Rothbard.

Sin embargo, se necesita con urgencia un único libro que enseñe en forma adecuada estas tres perspectivas y las habilidades que cada una requiere, porque los lectores que están demasiado inmersos en una posición ofensiva cometerán graves errores en la defensiva, mientras que otros que enfatizan la defensa limitarán su potencial al no tomar importantes medidas de ataque para mejorar su prosperidad.

Los que se concentran en la posición mediocampista, o el enfoque de reglas y filosofía, tendrán una buena comprensión de la política impositiva, del patrón oro o de los beneficios de un formulario 401(k), pero tendrán muy poco control real sobre sus metas económicas.

Necesitamos aprender sobre la posición delantera, *así como* la defensiva, lo que puede resumirse en «ganar como un millonario y vivir como la clase media». Demasiadas personas hacen lo opuesto: ganan un sueldo de clase media pero usan las deudas para gastar mucho más de lo que realmente tienen. En cambio, los que son solventes gastan mucho menos de lo que ganan. Desafortunadamente, pocas personas en la sociedad moderna emplean una y otra vez los principios del éxito económico.

Debido a esta combinación de una formación inadecuada sobre el dinero, los malos hábitos aprendidos de muchos padres y amigos, y la dificultad de encontrar clases o libros que cubran el tema de manera integral, muchas personas administran su economía de una forma que se puede comparar a un senderista que intenta encontrar los caminos correctos, pero con el mapa equivocado. Sin importar cuánto se esfuerce en estudiar el mapa y seguirlo con precisión, está destinado al fracaso si no entiende que el mapa está mal y no obtiene uno que refleje el territorio con exactitud.

Solvencia real

Muchas personas desean vivir los principios de la solvencia y quieren transmitirles estas herramientas a sus hijos. Terri, la esposa de Chris, compartió una historia sobre su hija de cinco años que estaba almorzando con amigos. La mujer que las llevó a almorzar le preguntó si quería un refresco con su comida. La niña preguntó de inmediato: «¿La bebida está incluida en el precio?».

Ya a los cinco años comprendía el concepto del valor, al menos al punto de que solo bebería si tenía sentido en términos

21

económicos. Por supuesto, ella no conocía los detalles de la ofensiva y la defensa económicas, pero aprendió del ejemplo y sabía cuál era la pregunta correcta.

En nuestra sociedad, muy pocas personas tuvieron como ejemplo los principios de la solvencia, lo que dificulta que los entiendan o los apliquen. Las personas tienden a hacer lo que aprendieron en base a su experiencia.

En este libro, aprenderá nuestra visión de los principios del éxito económico que nos brindaron una solvencia real. Este libro combina en un solo volumen los tres enfoques (1. posición ofensiva o ganar dinero; 2. posición defensiva o hacer presupuestos y poner la disciplina en práctica; y 3. posición mediocampista o las reglas y la filosofía del dinero) que delinean los principios del éxito económico que, según creemos, son necesarios para que una persona o una familia se vuelvan solventes.

Éste realmente es un libro sobre solvencia. No sirve «para volverse rico», sino «para volverse solvente», y hay una gran diferencia entre estos dos enfoques. Con el tiempo, los solventes que se rigen por los principios del éxito económico alcanzarán la prosperidad, e incluso la riqueza, pero lo lograrán por centrarse en hacer lo correcto.

Es más claro el paralelismo entre felicidad y solvencia que entre felicidad y «hacerse rico» porque ser solvente significa vivir la clase de vida que nos trae éxito económico, pero sin riesgos ni complicaciones innecesarias y sin perder de vista lo más importante en la vida. Es un proceso, un estilo de vida, un conjunto de valores y buenos hábitos... no solo una meta que se puede alcanzar rápido y, luego, olvidarse de ella. De hecho, las personas que sí se vuelven ricas con rapidez casi siempre pierden todo porque no viven las reglas básicas de la solvencia.

En lo personal, nos sentimos afortunados de que hayamos podido aprender los principios de la solvencia a partir de esas vacaciones en la playa del Caribe y esa tarde con la cinta de audio.

Aquí encontrará los resultados de veinte años de éxitos y fracasos, ganancias y pérdidas. Aquí no hallará consejos, ya que no nos atrevemos a aconsejar a nadie: la situación de cada persona es distinta. En cambio, este libro busca educar al lector y lograr que piense en su verdadera inteligencia económica.

Si, a través estas páginas, podemos transmitirle cierto sentido común sobre la economía, habremos hecho nuestro trabajo. Ojalá esta información hubiera estado disponible de esta forma resumida hace veinte años Quizás sea una bendición para usted y le ahorre tomar caminos equivocados. Sobre todo, esperemos que lo ayude a ser más solvente y alcanzar verdaderamente los objetivos más importantes de su vida. Sabemos que los principios de la solvencia funcionan, y que quienes los apliquen lograrán ser solventes.

PARTE I

ASPECTOS BÁSICOS

«ESTO ES UNA PELOTA DE FÚTBOL...»

Esta es la parte más básica de la solvencia. Pero, en vez de decir: «Esta es una pelota de fútbol», «Esta es una pelota de baloncesto» o «Esta es una raqueta de tenis», como lo haríamos si habláramos sobre deportes y aptitud física, introduciremos los términos equivalentes en el campo de la economía. Específicamente, en la Parte I, aprenderemos los siete principios básicos de la solvencia y cómo implementarlos de inmediato. Estos siete principios y habilidades forman la base de todo éxito económico. El secreto del éxito es aprender y *dominar* lo básico

«*Somos lo que hacemos día a día; de modo que la excelencia no es un acto, sino un hábito*».
ARISTÓTELES

«*Nos ganamos la vida con lo que conseguimos, pero hacemos una vida con lo que damos*».
WINSTON CHURCHILL

¿Por qué algunas personas tienen mucho dinero, mientras que otras viven luchando con su situación económica?

«Si sus ingresos anuales ascienden a veinte libras, gaste diecinueve libras con diecinueve chelines y seis peniques y será un hombre feliz. Si gana veinte libras y gasta veinte libras y seis peniques: será muy desdichado».
DAVID COPPERFIELD, DE CHARLES DICKENS

¿Por qué algunos tienen mucho dinero, mientras que otros viven luchando con su situación económica? Muchas personas creen que la riqueza (o la falta de riqueza) es el resultado natural de la crianza, pero hay numerosos ejemplos de personas que viven muy por encima, o muy por debajo, del nivel económico de sus padres.

Existen quienes heredan grandes riquezas, las despilfarran y terminan perdiéndolas; así como existen otros las incrementan. Personas que heredan poco o nada se vuelven muy prósperas, mientras que otras no lo logran.

Incluso entre familias, muchos hermanos crecen en un entorno y nivel de educación parecidos, pero algunos se vuelven prósperos, o incluso ricos, mientras que otros siempre tienen problemas para pagar sus cuentas. Claramente, la herencia o la crianza de una persona no determinan qué tan exitosa ella será en lo económico.

Otra creencia popular es que la educación determina la carrera y el nivel de riqueza pero, si bien hay una correlación entre niveles de educación y mejor paga, en toda profesión se puede encontrar a personas con buena solvencia y quienes están endeudados hasta el cuello.

Lo cierto es que algunos conserjes y taxistas siguen los principios de la solvencia; pero otros no. Quienes siguen dichos principios alcanzan el éxito económico. Del mismo modo, algunos abogados, banqueros, directores ejecutivos y médicos se ahogan en deudas e ignoran las reglas del éxito económico, mientras que otros no. Esto se aplica a todos los campos laborales y a personas de todo tipo.

En su libro *LIFE,* Chris Brady y Orrin Woodward escribieron:

La mayoría de las personas que ganan $30.000 al año creen que si ganaran $40.000 al año, sus problemas desaparecerían. Lo curioso, no obstante, es que quienes ganan $40.000 al año están convencidos de que con $50.000 al año *sus* problemas se solucionarían. El problema de esta manera de pensar es que si gastas todo lo que ganas, sin importar el monto de tus ingresos, siempre estarás al borde del abismo.

En otras palabras, lo que determina el éxito económico no es cuánto ganas, sino cuánto ahorras. Las personas pueden ser solventes ganando $30.000 al año. Pero por otro lado, hay personas que pueden ser insolventes ganando $500.000 al año. A través de los años, hemos visto en numerosas oportunidades a personas en ambas situaciones[1.]

LO QUE DETERMINA EL ÉXITO ECONÓMICO NO ES CUÁNTO DINERO GANA, SINO CUÁNTO CONSERVA. INVIERTA PRIMERO EN USTED Y AHORRE LO INVERTIDO.

Hay muchos ejemplos de esta realidad. Si observas a dos familias de picnic en un parque, la mayoría de las personas pensará que la familia que posee un Cadillac SUV y se viste con ropa de marca es más solvente que la que viaja en un automóvil más antiguo y se viste con ropa menos costosa.

Pero en el mundo de hoy, esta es una imagen engañosa. Los padres de la segunda familia quizás ganen más dinero —*mucho más*— y puedan pagar con mayor comodidad el Cadillac y la ropa de diseñador que la primera. Es más, la primera familia quizás viva endeudada, mientras que la segunda preste mucha atención a evitar hacerlo y se concentre en ahorrar e invertir.

Aprenda los principios

En resumen, existen principios de solvencia. Los que entienden y aplican estos principios probados ven que su economía personal mejora y, con el tiempo, se encaminan a ser prósperos e incluso ricos, sin importar sus orígenes, su educación ni sus experiencias pasadas. Por el contrario, las personas que (por la razón que sea) no conocen o no implementan los principios de la buena solvencia siempre terminan teniendo problemas económicos.

La solvencia, al igual que la aptitud física, requiere de dos cosas: saber qué hacer y realmente hacerlo. Por ejemplo, es difícil ponerse en forma si uno tiene la falsa creencia de que los mantecados, la comida rápida, las patatas fritas y los dulces son más saludables que las verduras, las frutas, las carnes magras, los pescados y los cereales integrales. Si cree que sentarse en un sillón es mejor que hacer ejercicio, no va a ponerse en forma en el futuro cercano.

> **La solvencia, al igual que la aptitud física, requiere de dos cosas: saber qué hacer y realmente hacerlo.**

Aún más, no alcanza con saber lo que es saludable. Si sabe que la comida rápida y los dulces no son tan buenos para usted como los cereales integrales y las verduras, pero obstinadamente come dulces y pasteles en la mayoría de sus comidas, o simplemente se salta comidas y sobrevive con estimulantes, como café o refrescos, no servirán de nada sus otros esfuerzos por llevar una vida saludable. Si sabe que debe ejercitarse, pero nunca se da tiempo para hacerlo, no se pondrá en forma.

Brady y Woodward escribieron en *Launching a Leadership Revolution*: «Todos tienen una opinión sobre cómo mejorar. Tener ideas no es gran cosa. El mundo está lleno de buenas ideas y pensadores de fantásticas teorías. *La implementación y los resultados hacen la diferencia. Separan a los héroes del resto*»[2].

Tener solvencia requiere de saber qué es saludable para su economía personal y, luego, aplicar ese conocimiento. De esto se trata el libro. A medida que lo lea, aprenderá los principios que traen solvencia, junto a numerosas destrezas y técnicas para aplicarlos.

Poder real

Al final de cuentas, su futuro económico solo depende de usted. Al igual que estar en forma, su solvencia está en sus manos. Usted tiene la capacidad de vivir sus sueños económicos, cancelar las deudas, aumentar sus ingresos, cambiar los viejos hábitos que han bloqueado su éxito económico y convertir sus debilidades económicas en fortalezas. Es una realidad muy emocionante. Lo repetimos: *Usted tiene el poder de vivir sus sueños económicos, sin importar cuáles sean.*

Pero sin una exacta comprensión de los principios de la solvencia, es imposible hacer un progreso real. Ningún tipo de disciplina ni fuerza de voluntad personal, ni una actitud mental positiva, pueden superar la falta de conocimiento; usted debe aprender los principios de la solvencia para poder aplicarlos.

La buena noticia es que los principios necesarios están en este libro y, al aplicarlos, alcanzará el éxito. Estos principios ofrecen un gran poder. Stephen Covey nos enseña que los principios son universales, lo que significa que, cuando los aplique, usted *sabrá* que obtendrá los resultados que busca.

Por ejemplo, la ley de la cosecha enseña que se recoge lo que se siembra. Si planta trigo, no obtendrá maíz: obtendrá trigo. Tiene que regar el trigo, sacar las malas hierbas, evitar que los animales lo pisen y protegerlo del clima en la medida que sea posible, pero, si lo planta y lo cuida, la ley de la cosecha dice que obtendrá una cosecha de trigo al final de la temporada.

Lo mismo ocurre con los principios financieros. Tiene que entenderlos, aplicarlos y seguirlos y, a medida que lo haga, sabrá con seguridad que obtendrá las metas deseadas.

La razón por la que algunas personas tienen suficiente dinero, mientras que otras viven luchando con su economía, es simplemente que las primeras han aprendido los principios de la solvencia y los aplican en su vida diaria... mientras que las segundas, no.

> **La razón por la que algunas personas tienen suficiente dinero, mientras que otras viven luchando con su economía, es simplemente que las primeras han aprendido los principios de la solvencia y los aplican en su vida diaria... mientras que las segundas, no.**

Nosotros lo invitamos a ser la excepción, a convertirse en uno de los pocos que entienden e implementan los principios de la solvencia. Si lo hace, no solo se ayudará a usted mismo, sino que creará un legado para sus hijos, sus nietos y otras personas sobre quienes influya respecto de los principios del éxito económico.

CAPÍTULO DOS

Determinar qué significa realmente el dinero para usted y por qué es importante ser solvente

«Sí, la bondad, la bondad es el mejor tesoro del mundo. Ella subsiste, mientras la fama y el dinero desaparecen, y es la única riqueza que podemos llevarnos al abandonar esta vida».
LOUISA MAY ALCOTT

En los negocios, hay un viejo dicho que dice que el ejemplo no es lo más importante de un líder, es lo único que importa. Pero el dinero definitivamente no es lo único en la vida, ni tampoco se acerca a ser lo más importante. De las ocho efes usadas (en inglés) en el sistema LIFE[3], la economía no es tan importante como la Fe, la Familia, la Libertad (Freedom), el Bienestar físico (Fitness), o los Amigos (Friends), y muchos argumentarían que tampoco es más importante que la Diversión (Fun) ni el Seguimiento (Following).

Pero la solvencia tiene un lugar único en su lista de cosas en las que se debe concentrar en la vida, porque ser solvente no solo puede ayudarlo a evitar las consecuencias negativas, el miedo y el estrés de la flacidez económica (como tener mal crédito y no ser capaz de llegar a fin de mes; lidiar con las llamadas y las cartas de acreedores; no poder pagar regalos de Navidad; ni las tarifas de actividades extracurriculares, entre otras, para sus hijos; no ser capaz de mantener adecuadamente su hogar y sus automóviles, etc.), sino que también tiene una gran influencia en lo efectivos que pueden ser los proyectos y emprendimientos de su vida. Cuando no tiene las finanzas en orden, disminuye el potencial de todos sus roles, responsabilidades y relaciones personales.

Cuando es solvente, puede hacer mucho más por los que ama y por todos aquellos en sus círculos de influencia. Ser solvente también le permitirá financiar la búsqueda de sus sueños. Finalmente, quizás hasta lo libere del trabajo monótono de intercambiar su tiempo y mano de obra por dinero y le ofrezca más tiempo para cumplir con pasión su propósito y vivir su sueño.

Sin embargo, es peligroso concentrarse demasiado en el dinero y convertirlo en el centro de su vida. El dinero no es todo, y la Biblia deja en claro que un enfoque desequilibrado en el amor por el dinero es la raíz de todos los males. Pero, muy a menudo, las personas malinterpretan esto como una excusa para permitirse ser insolventes.

Dios quiere que las personas sean solventes, que vivan y apliquen los verdaderos principios de abundancia que Él creó. Quiere que todos experimenten los beneficios de la prosperidad y la abundancia de la vida. Pero lo más importante es que quiere que las personas usen los recursos para llevar a cabo su mandato en Su reino.

El don

El dinero es un don; tiene un uso específico. Esto significa que usted tiene un cometido. Los seres humanos somos más felices y exitosos cuando usamos el dinero para algo importante, para nuestras familias y la comunidad. El objetivo de la vida no es ser bueno con el dinero. Es importante no cometer el

> **Gane dinero para hacer posibles sus prioridades y desarrollar su cometido.**

error de distraerse con las metas equivocadas. Evite obsesionarse con el dinero. Al igual que un martillo, el dinero es una *herramienta*, que debe usarse para lo que más importa en la vida.

De hecho, el dinero no es la meta, pero puede ser una herramienta muy buena e indispensable para alcanzar las verdaderas metas, sueños y propósito de su vida. Gane dinero para hacer posibles sus prioridades y desarrollar su cometido. Tomar en serio su cometido le permite lo siguiente: 1. Cumple el propósito de su vida. 2. Naturalmente aporta más dinero.

Si ama la Fe, la Familia, la Libertad y otras partes importantes de su vida, la solvencia es necesaria para vivir a la altura de su potencial. Como se ha dicho, el dinero es como una linterna o un martillo, es una herramienta que puede usarse para proteger las cosas que ama. Sin solvencia, siempre se verá disminuida su habilidad para hacer lo que más desea.

¡Comience con lo básico!

EL DINERO ES UN DON; TIENE UN USO ESPECÍFICO. ESTO SIGNIFICA QUE USTED TIENE UN COMETIDO. DEBE USAR EL DINERO PARA ALGO IMPORTANTE, PARA SU FAMILIA Y PARA SU COMUNIDAD.

La importancia del tiempo

En su libro *A Month of Italy*, Chris Brady muestra la importancia que tiene pasar suficiente tiempo con su cónyuge e hijos para el bienestar de su relación con ellos. Todos honramos a los grandes hombres y mujeres del pasado o del mundo que han sacrificado el tiempo que podrían haber dedicado a sus esposos e hijos para trabajar largas horas, a veces en diversos trabajos, para satisfacer las necesidades de su familia.

Es un sacrificio honorable, pero existe una mejor manera. Los que de verdad entienden e implementan consistentemente los principios de la solvencia pueden aprender a mantener con eficiencia a sus familias de modo que tengan tiempo adicional para pasar con su cónyuge, hijos, amigos y otros familiares, como así para ayudar a los demás.

Los principios de la solvencia funcionan porque son universales y, cuando se los aplica, el éxito real (del tipo que incluye tiempo para lo que más se valora) no solo se vuelve posible, sino inevitable.

Una introspección

Pruebe el siguiente ejercicio. Imagine que hoy recibe una llamada o una carta en la que se le informa que acaba de heredar diez millones de dólares de una pariente lejana. Lo sorprende que esa pariente haya tenido tanto dinero porque ella siempre le pareció muy normal, y le sorprende aún más que le haya dejado el dinero a usted. Después de verificar que la herencia es verdadera, y no una broma de un hermano o primo haciéndose el gracioso decide sentarse a decidir qué hacer con el dinero.

De inmediato, se da cuenta de que esto puede cambiar su vida de muchas formas. Ahora, responda las siguientes preguntas como si de verdad hubiera sucedido. En primer lugar, ¿qué va a hacer con su trabajo y su carrera? ¿Cómo pasará su tiempo todos los días? ¿Qué quiere hacer por el resto de su vida?

Algunas personas piensan que querrían renunciar al trabajo y mirar televisión pero, para los pocos que han podido hacer esto, este enfoque ha demostrado ser frustrante. Entonces, en serio, ¿qué querría hacer en los próximos años? ¿Quiere seguir en su carrera actual? ¿Probar otra? ¿Crear un negocio? ¿Desarrollar uno que ya tiene?

En segundo lugar, ¿con quiénes quiere pasar más tiempo? ¿Qué quiere hacer con ellos? Es una pregunta con demasiada importancia porque lo ayudará a ver dónde está su corazón ahora.

En tercer lugar, ¿qué quiere aprender, experimentar o hacer? ¿Quiere viajar, aprender a tocar un instrumento, hablar otro idioma, comenzar estudios superiores o abocarse a algún interés? ¿Quiere ganar mucho más dinero? Haga una lista.

En cuarto lugar, ¿cómo usaría parte de su dinero en lo que tiene que ver con la Fe en su vida? ¿Y en lo que tiene que ver con la familia? ¿Y con la diversión? ¿Y con la Libertad?

Finalmente, después de pagar los impuestos por su herencia, ¿adónde quiere donar parte de su dinero? ¿A un hospital, una escuela, una iglesia u otro lugar? Esto también lo ayudará a ver dónde está realmente su corazón y qué quiere hacer para mejorar el mundo. Esta es una cuestión más profunda: ¿Qué cambiaría en el mundo si pudiera?

Brady y Woodward escribieron: «Todos parecen tener un sentido innato de que falta algo. No es difícil identificar problemas en una situación dada. Pídale a alguien que identifique lo que está mal con su iglesia, su empleador o sus vecinos y prepárese para recibir una explicación larga. ¡Ni siquiera entre en el tema del gobierno! Podría tardar días»[4].

Hay tanto que el mundo necesita, y algo de eso tal vez se cruce con sus pasiones e intereses. Hay tres cosas que puede hacer con el dinero:

> **¿Qué cambiaría en el mundo si pudiera?**

1. Adquirir (cosas).
2. Lograr (metas y sueños).
3. Contribuir (con causas y personas que lo necesitan).

Si contara con el tiempo y los recursos, ¿qué haría para contribuir a mejorar el mundo de forma significativa? Tómese el tiempo que necesite para escribir las respuestas a esas preguntas.

¿Qué le espera?

Ahora revise sus respuestas y pregúntese de qué forma tener más dinero lo ayudaría a vivir sus sueños y a ayudar a los demás.

En el mundo real, quizás reciba esa herencia o no pero, en vez de esperar sentado a que pase, simplemente entienda que vivir según los principios de la solvencia puede aumentar sus reservas para poder vivir sus sueños. Lleva tiempo, pero en diez, quince o veinte años, será diez, quince o veinte años mayor y no habrá cambiado su situación económica, o bien será diez, quince o veinte años mayor y solvente. Es su decisión.

Todo depende de qué tan efectivamente aprenda y aplique los principios de la solvencia. Todos pueden ser solventes si entienden e implementan los principios.

TRES

Cómo empezar a ser solvente

«EL DINERO NO LO ES TODO... PERO ESTÁ EN LA MISMA
CATEGORÍA QUE EL OXÍGENO».
RITA DAVENPORT

Todos hemos estado en esa situación. Nos miramos en el espejo, nos damos cuenta de que no estamos en forma y nos inspiramos para volver a estarlo. Es hora de ponernos el calzado deportivo y renovar la membresía del gimnasio. Desenterramos el bolso del gimnasio, escribimos un plan de ejercicios y salimos a trotar. Al día siguiente, nos levantamos temprano y levantamos pesas.

Por la tarde, nos damos cuenta de que cometimos un grave error. En realidad, dos errores. Primero, nos olvidamos de elongar antes de ir a correr (que terminó siendo más bien una caminata). Segundo, también nos olvidamos de elongar antes de levantar pesas y después de hacerlo. A medida que avanza la noche, nos sentimos cada vez más adoloridos.

A la mañana siguiente, nuestros músculos adoloridos nos suplican: «¡No te ejercites más! ¡Nos duele! Es una locura. Solo come menos o prueba otra cosa».

Le prestamos atención a esta voz (algo que rara vez hemos hecho durante los últimos meses cuando dejamos que nuestros hábitos alimenticios perdieran el control, y en los que dejamos de estar en forma). Entonces hoy, en vez de ejercitarnos, vamos a una librería de segunda mano y le echamos un vistazo a los libros sobre dietas. Encontramos uno que parece prometedor, lo compramos y nos ponemos a régimen. O bien, omitimos el libro sobre dietas y simplemente tratamos de mejorar nuestros hábitos y comer menos, por nuestra cuenta.

En nuestro nuevo enfoque respecto de la comida saludable, nos damos cuenta de cuán seguido comíamos una galleta de más o un último bocadillo tarde en la noche. Pero tres días después, nuestros familiares nos tratan con extrema cautela a medida que nos volvemos cada vez más irascibles.

Esto dura unos días, y, al final de dos semanas, la mayoría vuelve al plan viejo y normal... el insalubre.

La solución ritual de la economía

Aunque nunca haya pasado por el típico ritual de ponerse en forma, popular en Estados Unidos, casi seguro ha experimentado su primo cercano: el plan de «arreglar mi economía».

En primer lugar, probablemente lo inspiró un libro, un archivo de audio, un amigo o una pila de notificaciones de sobregiros y facturas que no podía pagar. En segundo lugar, empezó a sentir los síntomas de la abstinencia y dejó de gastar, además de amenazar a su cónyuge y sus hijos para que hicieran lo mismo. En tercer lugar, se lamentó por el monto al que ascienden los impuestos que le cobran sobre su salario y los límites de su sueldo.

Si está casado, probablemente haya tenido peleas sobre su economía con su pareja. Si es soltero, seguro que ha peleado con sus amigos sobre quién debía y cuánto por la factura del cable.

Por último, después de un tiempo de no gastar nada y de dar sermones a su cónyuge sobre sus hábitos de gasto, finalmente revienta y derrocha $450 en una compra que realmente no necesitaba pero que, de alguna manera, lo hizo sentir mejor durante algunas horas. Luego, inevitablemente, volvió a empezar este ciclo y repitió el patrón.

Una forma mejor

En este libro vamos a sugerirle que nunca vuelva a seguir este plan. Por el contrario, esta vez necesita hacer lo correcto. El cambio real tiene efecto duradero, y es hora de un *cambio real*.

Como mencionamos en capítulos anteriores, la realidad es que su economía será flácida si no sigue los principios de la solvencia. En vez de empezar una dieta rápida o un plan extremo de ejercicios monetarios, usted necesita entender los principios del éxito económico y simplemente comenzar a implementarlos.

Así que es hora de preguntarse algo muy importante. En capítulos anteriores ya aprendió dos principios del bienestar económico:

PRINCIPIO 1: Lo que determina el éxito económico no es cuánto dinero gana, sino cuánto conserva. Invierta primero en usted y ahorre lo invertido.

PRINCIPIO 2: El dinero es un don; tiene un uso específico. Esto significa que usted tiene un cometido. Debe usar el dinero para algo importante, para su familia y para su comunidad.

Esta es la clave, la pregunta que cambiará su vida: ¿Qué ha hecho para aplicar estos dos principios desde que los leyó?

Sea una persona transformadora

Para la mayoría de las personas, leer es un proceso informativo. Leemos para aprender, y el largo tiempo que pasamos en la escuela nos ha enseñado que aprender significa entender y recordar. Después de todo, si hiciéramos un cuestionario ahora mismo y preguntáramos qué son los dos principios mencionados, casi todo lector podría enumerarlos y explicarlos.

Pero para ser solvente, debe adoptar un distinto tipo de aprendizaje. En vez de solo realizar lecturas *informativas*, debe convertirse en un lector *de transformación*. Usted necesita leer cada principio de la solvencia mencionado en este libro en pos de su aplicación. No alcanza con entender un principio; debe *implementarlo* en su vida diaria.

Cada vez que aprenda un principio de la solvencia tratado en este libro, deje de leerlo y determine cómo lo aplicará en su vida... de forma real. Esto es lo que llamamos «ser un héroe»[5], ¡ser la clase de persona que va más allá de la información y de las ideas, y realmente se pone manos a la obra!

> **En vez de solo realizar lecturas *informativas*, debe convertirse en un lector *de transformación*. No alcanza con entender un principio; debe *implementarlo* en su vida diaria.**

Jerarquice sus gastos

¿Cómo puede aplicar el Principio 1? ¿Cómo puede conservar más de lo que gana? Imagine que usted es una empresa llamada USTED, Inc. y que, junto con sus otros acreedores, está haciendo la fila para que paguen su factura. Si ordena sus diversas cuentas en función de su importancia, la de USTED, Inc. debe ser la primera. Necesita invertir primero en usted.

Invertir en usted primero es similar a la idea de ponerse la máscara de oxígeno primero antes de tratar de ayudar a alguien cuando viaja en avión y está en una situación de emergencia. Si no se cuida primero, no será de mucha utilidad para nadie más. Si no invierte en usted primero, tendrá más problemas para estar al día con sus otros gastos, muchos más para progresar y financiar sus sueños y sus propósitos de vida.

El paso uno de invertir primero en usted mismo es abrir una cuenta de ahorros. Si ya tiene una, abra otra para este paso. Esta cuenta debe ser sagrada, ya que creará el capital que necesita para que, con el tiempo, pueda pasar de la supervivencia al éxito.

El paso dos es crear un plan para agregar dinero de forma sostenida a esta cuenta. Desde ahora, cada vez que le paguen, transfiera un 10% de sus ingresos a esta cuenta. Solo es un 10%, pero aumentará sus ahorros y valor neto más rápido de lo que pueda creer.

Quizás se cuestione si puede pagar todas sus facturas si está dejando de lado el 10%, pero nunca hemos visto a nadie que no lo haya logrado. Hemos visto a personas reducir la cuenta del cable, las compras de refrescos, conseguir un segundo trabajo o comenzar un negocio por la noche, así como hacer un montón de otras cosas para aumentar sus ahorros.

Si quiere que su economía cambie, usted deberá transformarla. Estos dos pasos marcarán la diferencia en su vida económica y lo pondrán en camino a la solvencia.

Las personas que no guardan parte del dinero que ganan nunca alcanzan el éxito económico. George S. Clason escribió en *El hombre más rico de Babilonia*: «El oro viene gustosamente y en cantidades crecientes a cualquier hombre que separa no menos de un décimo de sus ganancias para crear un patrimonio para su futuro y el de su familia»[6.]

Al guardar el 10% cada vez que recibe un pago, de inmediato empezará a romper los viejos hábitos económicos que bloqueaban su camino e iniciará nuevos hábitos de solvencia.

Estas acciones son sus primeros pasos, pequeños y seguros, hacia la solvencia. Las estadísticas predicen que no todos los que leen este capítulo se detendrán a realizar estas dos acciones de inmediato, pero quienes sí las lleven a cabo estarán en el camino de la solvencia. Sea la excepción: sea uno de los que se detienen y dan los dos primeros pasos de inmediato.

En realidad, esperamos que *todo* lector lleve a cabo estos dos poderosos pasos. Son mucho más que pequeños y seguros pasos porque cambiarán la dirección de su economía, de los problemas a la solvencia. Deténgase y dé estos dos pasos. Sea el tipo de lector que entra inmediatamente en acción cuando aprende un nuevo principio. Y siga el mismo patrón durante el resto del libro.

USTED, Inc.

El valor de una empresa se determina al analizar sus ingresos y bienes actuales, así como su habilidad de competir en futuros mercados y en cambios en la economía. ¿Qué valor tendrían hoy las acciones de su empresa USTED, Inc.? ¿Es una empresa con acciones de alto rendimiento o que valen centavos? Si las acciones de su empresa aún no tienen un alto rendimiento, probablemente sea por sus deudas y sus fondos insuficientes, y por la falta de liderazgo y educación económica de la gerencia para competir en el mercado actual. Por eso es tan importante que invierta en USTED, Inc. Considérelo tan sagrado como su propósito e invierta al menos un 10% de su ingreso como capital de lanzamiento para el crecimiento y la prosperidad de USTED, Inc.

Orrin Woodward y Chris Brady desarrollaron una fórmula muy simple y predecible de ayudar a las personas a transformar las acciones de poco valor en acciones de alto rendimiento, llamada la Jerarquía de inversión en USTED, Inc. Esta jerarquía clasifica las diversas categorías de inversión. Más adelante, revisaremos en profundidad cada nivel de jerarquía, explicaremos los tipos de inversiones y su significado.

El primer nivel de la jerarquía, y el más importante, es invertir en usted: invertir en su desarrollo personal y en su formación económica y de liderazgo, lo que aumenta su habilidad y capacidad de desarrollarse e invertir en proyectos empresariales y comerciales. Benjamin Franklin escribió: «Si el hombre vacía la bolsa en su cabeza, nadie podrá arrebatársela. El capital invertido en saber da el máximo interés». Al invertir en este programa económico, está sentando las bases de su primer nivel de jerarquía.

Recuerde: su futuro financiero está en *sus* manos. Usted es la inversión más importante y tiene el poder de vivir sus sueños económicos, sin importar cuáles sean.

Su visión a largo plazo

Ahora que tiene una nueva cuenta de ahorros y un plan para hacerla crecer cada vez que le pagan, ¿cómo está aplicando el Principio 2? Específicamente, ¿cuál será su cometido? ¿Cuál es su misión en la vida? ¿Cuáles son su visión y su sueño a largo plazo? ¿Qué quiere hacer con el cometido de su vida? ¿Cuánto dinero necesitará para realizar efectivamente sus sueños y planes?

Tómese el tiempo de responder estas preguntas por escrito. A diferencia del ejercicio imaginario sobre heredar diez millones de dólares del comienzo de este libro, esta vez sus respuestas a las preguntas son sobre la realidad. Esta es su vida. ¿Qué quiere hacer con ella?

Tómese en serio su cometido y escriba respuestas completas a las anteriores preguntas. Escriba su visión y sueño a largo plazo. Es importante. Saber cuál es su cometido, su forma de ayudar a su familia y su comunidad es una parte esencial de las finanzas. Saber qué quiere hacer con su vida y cuánto dinero quiere y necesita para lograr sus metas es una parte vital de poner su economía en orden.

Si no tiene visión a largo plazo, naturalmente malgastará su dinero. Las personas exitosas tienen un plan económico por escrito. Queremos que usted sea exitoso en lo económico, así que escriba su visión.

¿Qué quiere hacer? ¿En qué quiere gastar su dinero? ¿Cuánto dinero quiere gastar en su cometido, en ayudar? Haga un esfuerzo real y tómese el tiempo de escribir sus respuestas.

De nuevo, puede ser un lector informativo y simplemente leer estas palabras sin tomar medidas, o bien puede ser un alumno y líder *transformador*, y aplicar los principios de éxito económico. Solo quienes se detienen a implementar los principios de la solvencia desarrollarán los hábitos y el legado de éxito económico a largo plazo.

Aunque sorprenda, como dijimos antes, los principios de la solvencia no son ni complicados ni complejos. De hecho, de verdad son muy simples. Pero, como Naamán en la Biblia, a quien se le dijo que se curaría de la lepra si se bañaba varias veces en el río y quien se resistió a seguir el consejo porque parecía muy tonto o muy simple, demasiadas personas leen solo para informarse y no se toman el tiempo de detenerse y hacer los ejercicios que los volverán solventes.

Estas tareas son *muy simples*. ¡Hágalas! Si se ha salteado alguna hasta ahora, vuelva y realícelas todas. Es algo muy pequeño pero, al mismo tiempo, producirá enormes resultados positivos en su vida económica. El libro de ejercicios adjunto lo ayudará en este proceso tan importante y hará que estas tareas resulten aún más fáciles. No se pierda la oportunidad de hacer las cosas pequeñas que aumentarán drásticamente su éxito económico.

CUATRO

Más información para volverse solvente

«Un centavo ahorrado es un centavo ganado»
BENJAMIN FRANKLIN

Benjamin Franklin comenzó su vida en la ruina, pero se enriqueció como asalariado guardando cada centavo que pudo ahorrar mientras hacía planes y tomaba medidas para alcanzar sus sueños.

Una vez que Franklin tuvo dinero, fama y el tiempo para hacer lo que quiso, siguió escribiendo y difundiendo su obra. Ayudó a muchos a entender los principios del éxito y dedicó mucho de su tiempo a liberar a la joven nación.

Enseñaba que la clave para el éxito económico era vivir de acuerdo a sus medios. Rara vez se sigue este simple concepto, y los que no lo siguen siempre padecen problemas económicos.

VIVA DE ACUERDO A SUS MEDIOS. SIEMPRE. SIN EXCEPCIONES. PUNTO FINAL. RÍJASE POR UN BUEN PRESUPUESTO. REPÁRTANSE UNA PEQUEÑA CANTIDAD DE DINERO ENTRE CÓNYUGES PARA USAR A DISCRECIÓN TODOS LOS MESES Y NO CHOCAR POR COSAS INSIGNIFICANTES.

Entrar en acción

¿Cómo aplicará este principio simple pero vital? Primero, elabore un buen presupuesto. Siéntese, detalle todos sus ingresos y gastos, y elabore un presupuesto con el que pueda trabajar. Las personas exitosas lo hacen; las que no lo hacen no están en una buena situación económica. Si está casado, póngase de acuerdo con su cónyuge en este proceso.

Enumere todos sus ingresos y gastos por al menos los últimos seis meses. Solo mencione el ingreso real, no el «posible» que *espera* recibir. Incluya los gastos normales e irregulares, como reparaciones del hogar o del automóvil. Y no se olvide de incluir el costo que supone pagar sus deudas. No exagere los ingresos ni haga descuentos a los gastos. Sea preciso. En todo caso, sobrestime sus gastos: para considerar los costos crecientes y la inflación, y para ir a lo seguro.

Descubra cuál es su flujo de efectivo *neto*, la diferencia entre su ingreso y sus gastos. Si sus gastos superan sus ingresos, entonces está en quiebra. Esto ha sido difícil para nuestro gobierno y también para la mayoría de las personas. El gobierno quizás pueda salirse con la suya por un tiempo; pero usted, no.

Ahora, una vez que tenga datos reales, determine un presupuesto efectivo. Sea realista. Elimine lo que deba eliminar. Y planifique revisar su presupuesto una vez por mes, ya que cada mes es distinto.

Una gran técnica para ayudarlo a respetar su presupuesto es usar el sistema de sobres con efectivo. Cada vez que le pagan, ponga los montos designados en efectivo para cada artículo presupuestado en sobres separados. Esto ayuda a evitar gastar más de la cuenta.

Si quiere comprar un artículo que cuesta más que lo que hay en el sobre, tiene tres opciones: 1. Posponga la compra hasta que tenga suficiente dinero en el sobre. 2. Compre algo más barato. 3. Compre el artículo y transfiera el dinero de otro sobre para cubrir el costo. Las tres opciones le permitirán seguir viviendo de acuerdo a sus medios. Si está casado y elige la tercera opción, asegúrese de que los dos coincidan en los cambios de cualquier parte del presupuesto que hayan efectuado.

Con el sistema de sobres con efectivo, podrá guardar dinero fácilmente para gastos periódicos o irregulares con anticipación. Por ejemplo, si calcula que sus gastos anuales de reparación y mantenimiento de automóviles son de $2400, ponga $200 por mes en ese sobre.

Hay diversos materiales muy buenos y disponibles que lo ayudarán a crear un plan de administración de flujo de efectivo y presupuesto, en especial el libro de ejercicios que viene con este libro. Si todavía no ha comenzado a usar el libro de ejercicios, este es un buen momento para hacerlo. El libro de ejercicios facilitará en gran medida la confección de presupuestos y lo ayudará a hacer las preguntas correctas.

Luego, respete su presupuesto. Use la disciplina y planifique sus decisiones. Escriba todos sus ingresos, ahorros y gastos, y escriba y determine lo que gastará de sus ingresos antes de realmente hacerlo. Conviértase en el amo de su dinero y siga de cerca cada transacción monetaria.

Un mentor sabio una vez aconsejó a un hombre sobre sus problemas económicos, y el hombre dijo que no podía ni hacer ni seguir un presupuesto porque siempre lo conducía a pelearse con su esposa. El mentor le preguntó si amaba de verdad a su esposa. «Por supuesto que sí», le aseguró el hombre.

«Entonces, es tiempo de pelearse», afirmó el mentor. «Vale la pena tener algunas peleas, y es esencial tener un presupuesto real para tener éxito. Sea amoroso, positivo y paciente», le dijo a su alumno, «pero elabore un presupuesto con su esposa y sígalo. A la larga, salvará su relación».

Un consejo igual de profundo es dejar de escuchar a los amigos y parientes en quiebra y sus malas opiniones en materia de economía. Si están en quiebra, sus consejos económicos no merecen el tiempo que lleva escucharlos. Corte las sandeces del 95% de las personas que hablan sin saber[7].

Muchas personas tienen serios problemas para pagar sus hipotecas (muchos, incluso, tienen una segunda) y para pagar sus autos, tienen enormes deudas de tarjetas de crédito y no tienen muchas pertenencias a pesar de lo que gastan. Su falta de disciplina los ha convertido en un activo para sus bancos.

Escuche solo a los mentores cuya economía personal realmente se encuentra en el estado que quiere emular.

NO RECIBA CONSEJOS EN MATERIA ECONÓMICA DE PERSONAS EN BANCARROTA, OBTÉNGALOS SOLO DE AQUELLAS PERSONAS CUYA ECONOMÍA DESEA EMULAR.

Si descubre que le cuesta seguir un presupuesto, busque la ayuda de un buen asesor económico para que lo ayude a organizarse.

La lista

Ahora, tómese unos minutos y haga una lista de las personas a quienes ha escuchado en temas económicos. Incluya familiares, amigos, docentes influyentes, etcétera.

Una vez que haya completado la lista, tache (con un bolígrafo o un lápiz) a las personas cuya economía no desee emular y encierre en un círculo a las que sí.

De ahora en adelante, sopese todo el consejo económico con el mismo criterio. Conserve esa lista y agregue a las otras personas que le ofrezcan consejos económicos.

Prepárese para el futuro

A continuación, agregue a su presupuesto un fondo de emergencias. La ley de Murphy predice que siempre surgirán gastos inesperados. Aun si no cree en esta ley, es un buen consejo estar preparado para lo inesperado. El perro quizás se enferme (seguro por haberse comido tantas tareas), la casa quizás necesite reparaciones importantes, un pequeño accidente quizás lo obligue a reparar el automóvil o quizás deba reemplazar su transmisión. Considere por adelantado estos gastos y otros parecidos.

Invertir en su fondo de emergencias es el Nivel Dos de la Jerarquía de inversión en USTED, Inc. Tenga la disciplina de pagarse primero primero y respetar la jerarquía. El objetivo es que la cuenta llegue a $1000 lo antes posible. ¡Haga todo lo que sea necesario para llegar a esa meta con rapidez! Lo ayudará a superar algunos obstáculos que surjan en el camino. También lo ayudará con naturalidad a que comience a pensar de otra manera y a ver su economía desde una perspectiva más segura.

Luego, trabaje para aumentar su fondo de emergencias hasta que pueda cubrir entre tres y seis meses de sus costos de vida. Proteja este fondo y nunca lo toque a menos que pase por una verdadera emergencia. Unas vacaciones o esa nueva televisión en oferta *no* son una emergencia. Pero, cuando atraviese situaciones como la vez que se rompió la lavadora, cuando se inundó el sótano y se arruinó todo el equipaje justo antes del gran viaje familiar, estará listo para responder sin muchas dificultades.

Nadie quiere tener esos gastos inesperados, pero las emergencias son inevitables. Sin embargo, los que tienen un fondo de emergencias lidian con ellas con muy poco esfuerzo y preocupación. Estar preparados nos ofrece paz mental en momentos de necesidad. Y tener una cuenta especial con el solo fin de que sea el fondo de emergencias evitará que lo gaste con frivolidad.

REALICE UN PRESUPUESTO DE MANERA COHERENTE Y AHORRE PARA GASTOS INESPERADOS.

Asegúrese de implementar los tres principios tratados en este capítulo. Junto con los dos principios anteriores, estos tres están entre las cosas más básicas e inmediatas que una persona puede hacer para pasar con rapidez de la flacidez económica a la solvencia.

Domine los aspectos básicos

Tenga en cuenta que, de los primeros cinco principios que hemos cubierto hasta ahora, los primeros dos corresponden a la posición ofensiva (obtener más dinero), mientras que los otros tres pertenecen a la categoría de posición defensiva (protegerse contra las deudas y las pérdidas). Pero todos pertenecen a los aspectos básicos de la solvencia.

La clave del éxito en cualquier ámbito es dominar los aspectos básicos. Larry Bird, el gran jugador de baloncesto, hizo esta idea popular poniendo este principio como ejemplo. Aun siendo uno de los mejores jugadores que ha tenido la NBA, casi todo los días pasaba mucho tiempo después de la práctica trabajando en los rebotes, los tiros bajo el aro y las habilidades más básicas del juego.

Al dominar las habilidades más simples y básicas de la economía que mencionamos en este libro, está sentando las bases sólidas y duraderas de la solvencia. Los aspectos básicos de la solvencia quizás parezcan demasiado simples para que reporten una gran diferencia, pero quienes los implementan descubren el éxito económico.

En cambio, los que no los aplican nunca parecen entender por qué otros mejoran su economía mientras ellos siguen con la soga al cuello.

Abra la cuenta de ahorros y deposite allí el 10% de sus ingresos cada mes. Deje de escuchar los consejos económicos equivocados. Tómese el tiempo de establecer un buen presupuesto y, luego, respételo. Recorra el camino del éxito económico.

Este libro se trata de poner manos a la obra, no de largos debates sobre filosofías que rara vez se siguen o se implementan. La mitad de la lectura de este libro trata de aprender y entender lo que está escrito; la otra mitad trata de detenerse e implementar cada principio al completar cada tarea. Cada mitad es de suma importancia.

CINCO

Cómo cambiar sus hábitos económicos

«Todo tiro no hecho es tiro errado».
WAYNE GRETZKY

El cambio es difícil para la mayoría de las personas. La autodisciplina es una de las lecciones más desafiantes que podemos aprender. Cuando se trata de economía, es todavía más complicada. Pero la solvencia es el resultado natural de implementar los principios básicos del éxito económico. Los que hacen estas cosas simples se volverán solventes y, con el tiempo, se transformarán en potencias económicas. ¡Queremos que usted esté entre esas personas!

El éxito es simple. Aprenda y siga los principios de la solvencia. Para la mayoría, lo más difícil es el simple hecho de empezar. Pero también ayuda aprender de los ejemplos de otros que consiguieron pasar de la debilidad económica a la solvencia real.

> **El éxito es simple. Aprenda y siga los principios de la solvencia. Para la mayoría, lo más difícil es el simple hecho de empezar.**

La historia de Pedro y Raquel

La siguiente historia se basa en un hecho real que nos contaron unos amigos, aunque hemos cambiado los nombres[8].

Pedro y Raquel tuvieron una difícil situación económica los primeros diez años de matrimonio. Durante sus años en la universidad y luego de abrir un negocio nuevo, supusieron que tendrían dificultades. Pero, cuando el negocio tuvo éxito y se acostumbraron a un alto ingreso constante, comenzaron a preguntarse por qué todavía tenían problemas para pagar sus cuentas todos los meses.

Con más de $12.000 en deudas con la tarjeta de crédito, entre otros desafíos económicos, ambos empezaron a estresarse cada vez más por su situación.

Una noche, en una cena con amigos, una persona mencionó lo mucho que le había ayudado su asesor económico, y Pedro le pidió que se los presentara.

Durante su primera reunión, el asesor hizo numerosas preguntas, tomó muchas notas y obtuvo una imagen general de la situación económica de Pedro y Raquel. Después de un par de horas, sacó una hoja de papel en blanco y detalló varias tareas. Escribió:

1. Cuando reciban un ingreso, aparten de inmediato el 10% para dar en diezmo y depositen 10% en una cuenta de ahorros.

2. Luego, realicen los pagos mínimos de sus deudas, además de $350 adicionales en el saldo más pequeño.

3. Luego, solo después de cumplir con los puntos 1 y 2, paguen el resto de las cuentas.

El asesor los ayudó a hacer un presupuesto y una lista de cosas que dejarían de comprar. Luego, volvió a la hoja con los detalles y agregó:

4. Cumplan el presupuesto.

5. ¡No compren nada que no esté en el presupuesto!

Fue una reunión larga, así que Pedro y Raquel no hicieron más preguntas. Agradecieron al asesor y regresaron a casa. En el viaje de vuelta, Pedro anunció: «Estoy de acuerdo con todo lo que nos enseñó, excepto por algo. No tiene sentido ponernos a ahorrar dinero cuando estamos pagando un interés alto sobre las deudas. Así que, en vez de depositar en una cuenta el 10% de todos los ingresos, usémoslo para pagar las deudas. Luego, después de pagar la deuda, empezamos a ahorrar».

«No estoy segura –respondió Raquel–. Él es el experto, y lo contratamos por una razón. Quizás deberíamos seguir sus indicaciones».

«Pero no tiene sentido –dijo Pedro–. Quiero decir, estamos pagando tanto interés sobre la deuda, y los ahorros solo ofrecerían un interés muy bajo. Primero tenemos que pagar la deuda. Nada más tiene sentido».

Ahora que ha aprendido el Principio 1 (Lo que determina el éxito económico no es cuánto dinero gana, sino cuánto conserva. Invierta primero en usted y ahorre lo invertido), sabe que Pedro y Raquel están cometiendo un gran error. Hay una razón por la que el Principio 1 es el primero.

Una segunda oportunidad

Después de alrededor de un año, con una deuda con la tarjeta de crédito que superaba los $15.000 y todavía muy estresados por su economía, Pedro y Raquel finalmente decidieron volver a reunirse con el asesor.

La reunión fue bastante parecida a la anterior, excepto que, al final, Raquel preguntó: «Está bien, es como el plan que nos dio la última vez, ¿pero qué le parece si primero pagamos la deuda en vez de ahorrar el 10%?

«Mala idea», dijo el asesor con seguridad. «Las personas que no invierten en ellas mismas tampoco suelen cancelar sus deudas».

Pedro discrepó: «Pero la deuda nos cobra tanto interés y tener una cuenta de ahorros solo ofrece un interés muy bajo. No tiene sentido. Por supuesto que quiero ahorrar. Pero primero paguemos la deuda».

«Pedro, te entiendo», respondió el asesor. «Pero tengo más de 10.000 archivos de personas a quienes he asesorado sobre su economía y, si pudiera mostrártelos, verías un patrón muy interesante. Las personas que primero invierten en ellas son las mismas que cancelan sus deudas y se enriquecen. Las personas que no invierten primero en ellas mismas no cancelan sus deudas y siguen en problemas».

«Pero no tiene sentido», interrumpió Pedro. «Haga las cuentas». Luego, escribió dos escenarios económicos en los que mostraba que el interés de la deuda influenciaba todo el plan y que, después de cinco años, el escenario que cancelaba toda la deuda era mejor.

El asesor sonrió y dijo con paciencia: «Entiendo las cuentas. Pero las cuestiones monetarias no se resumen en hacer cuentas. Por supuesto, las cuentas nos pueden ayudar a tomar decisiones económicas, pero hay ciertos principios que están por encima de cancelar las deudas, y los números que ellos arrojan también son muy persuasivos. Específicamente, cada cliente que he tenido que consistentemente invierte primero en sí mismo también, con el paso del tiempo, cancela las deudas y se enriquece, pero ninguna persona que no invierte en sí misma primero logra cancelar sus deudas».

Pedro negó con la cabeza. «Simplemente no tiene lógica», dijo en voz baja.

«Hagamos algo», replicó el asesor. «Lo intentaron a su manera el año pasado, y su deuda aumentó. Y todavía no tienen ahorros. ¿Por qué no prueban hacerlo a mi manera durante un año?».

De regreso a su casa, Raquel convenció a Pedro de que lo intentaran. Abrieron una nueva cuenta de ahorros, crearon un depósito directo para que el 10% de cada sueldo que recibieran fuera automáticamente a la cuenta, y practicaron el plan del asesor al pie de la letra.

Trabajaron duro y necesitaron mucha disciplina. Cometieron algunos errores y se persuadieron de seguir intentándolo de cualquier modo. Pero, dos años después, Pedro y Raquel fueron a la oficina postal y depositaron en el buzón el último cheque que cancelaba toda su deuda con la tarjeta de crédito.

Estacionaron a un lado de la calle, lloraron y rezaron una larga oración de gratitud. Luego, Pedro dijo: «Llama a nuestro asesor».

Se habían reunido de forma habitual, así que el asesor sabía que, en algún momento, lo llamarían. Después de que Raquel le contara lo que había pasado, el asesor los felicitó y preguntó: «¿Cuántos ahorros tienen?».

«Un poco más de $12.000», respondió Pedro.

«Excelente. Ahora, díganme, ¿qué se prometieron que harían cuando llegara este día? ¿Qué recompensas se prometieron para cuando lo lograran?»

«Yo prometí que me compraría una nueva bicicleta de montaña –dijo Pedro, y la recompensa de Raquel era restaurar el baño principal».

«¿Cómo van a pagarlo?», preguntó el asesor.

«En realidad, vimos que nos estábamos acercando, así que separamos el dinero de las recompensas en otra cuenta, como usted había sugerido», dijo Raquel.

«Excelente. ¿Cómo se *sienten*?», preguntó el asesor.

Siguieron muchas frases de gratitud y lágrimas.

El asesor tuvo la última palabra en la conversación: «Genial. Los veo el próximo martes a las 11:00 a.m. en mi oficina. Ahora vamos a empezar su plan financiero *real*: su plan de riqueza. ¡Es tan emocionante!».

Técnicas para un cambio efectivo

Con el tiempo, todos deben tomar la decisión de volverse adultos respecto de la economía. Cuanto antes lo decida, más fácil será. Además, hay varias técnicas poderosas que pueden ayudarlo a aumentar su disciplina económica.

Como con los principios de la solvencia en este libro, convierta cada una de las siguientes técnicas en parte de su cambio en pos del verdadero éxito económico al pensar en formas de ponerlas en acción. Luego, escriba sus planes e impleméntelos.

1. Uno de los más grandes problemas que impiden que la gente mejore sus hábitos económicos es encontrarse con lo que parece una oferta excepcional. Esto puede arruinar el presupuesto y hacer que se desvíe del camino correcto. Suele ocurrir cuando una persona está de compras y se le presenta una oferta que es «demasiado buena para rechazar». Por ejemplo:

Cuando Misty volvió a casa de hacer las compras, rápidamente levantó la caja del maletero y la escondió en la cochera para que nadie la viera. Después de que los mellizos vaciaran el maletero y guardaran los víveres, suspiró aliviada de que su plan había funcionado. Luego, se olvidó de la caja.

El fin de semana siguiente, Derrick entró en la cocina con la caja. «Estaba ordenando –dijo–, y encontré esta caja. ¿Qué es?».

Misty decidió sincerarse. «Eh, bueno, cuando fui a comprar víveres el jueves, encontré esta venta de garaje y tuve que detenerme a ver lo que tenían. Sé que acordamos no gastar dinero en nada que no estuviera en nuestro presupuesto, pero tenían tantas cosas lindas. No me pude contener».

Derrick negó con la cabeza y puso la caja en la mesa. «Bueno, veamos qué tienes», dijo con amabilidad. Lo primero que encontró fue un par de zapatos para bebés. Derrick los miró con sorpresa, y una sonrisa se dibujó en su cara. «Pedro, Jade –llamó a viva voz–, bajen a la cocina un momento».

Cuando llegaron los mellizos, sostuvo los zapatitos a la altura de los grandes pies de Pedro. «No le entran a Pedro», anunció. Misty sabía que se estaba burlando de ella y comenzó a reírse cuando Derrick sostenía los zapatitos a la altura de los pies de Jade y sacudió la cabeza con fingida decepción. «Tampoco le entran a Jade, cariño.

Quizás me entren a mí», dijo con esperanzas, al comparar los zapatitos con sus pies número doce. «No. Bueno, ¿te entrarán a ti, cariño?». Misty se reía tanto que ahora le caían lágrimas por las mejillas. Los mellizos se unieron cuando se dieron cuenta de lo que ocurría.

«Uy, no creo que le entren a nadie de nuestra familia», dijo Derrick perplejo. «Pero estoy contento de que los compraras. Es decir, son taaan lindos».

Es increíble lo seguido que las personas compran cosas porque les parece una oferta increíble en el momento. La clave es apegarse a la Regla de las 24 horas: Si alguna vez encuentra una oferta que es demasiado buena para ser cierta, espere veinticuatro horas antes de efectuar la compra. Con el tiempo le ahorrará mucho dinero. Aunque parezca que va a perder la oferta, a la larga, apegarse a la Regla de 24 horas será una gran bendición.

> **Siempre habrá otra forma de hacer las cosas, pero aferrarse a sus posibilidades es la mejor forma de todas.**

Aprenda a esperar y a negarse a sus caprichos. Siempre habrá otra forma de hacer las cosas, pero aferrarse a sus posibilidades es la mejor forma de todas.

A medida que crezca su riqueza, puede enmendar la Regla de 24 horas y ponerle un precio. Por ejemplo, Orrin Woodward tiene un límite de $500 y, si quiere comprar algo que cueste más, espera al menos veinticuatro horas. Hasta que usted se enriquezca, su número deberá ser mucho menor. Al principio, aplique la Regla de 24 horas a todas las compras.

No haga compras espontáneas. No son buenas. Son una de las mayores tentaciones cuando intentamos vivir de acuerdo a nuestro medios. Tal como Benjamin Franklin dijo sobre la economía, incluso la filtración más pequeña puede hundir un barco grande.

Demasiadas personas son adictas a las compras y se rehúsan a admitirlo. La frecuencia con la que hace compras espontáneas (así sean pequeñas o grandes) determina el nivel de su adicción a las compras. Si tiene este problema, admítalo y deje de hacerlo si quiere ser solvente. Poner su economía en orden vale la pena cuando se lo compara con la efímera emoción de una compra espontánea.

2. Cree un fondo de emergencias, como se mencionó antes. Tenga en cuenta que su fondo de emergencias no es para las ofertas o las compras de Navidad, u otros ahorros. Es para verdaderas emergencias. No lo toque con otro fin.

3. Como lo dijimos antes, invierta en usted mismo y siempre guarde ese dinero. Nunca lo gaste. Es un concepto extraño para la mayoría de las personas porque han sido criadas sin una comprensión de los principios de la solvencia. Pero es una parte clave del éxito económico. En capítulos siguientes hablaremos sobre los mejores lugares para colocar parte de estos ahorros. Pero, por ahora, solo intente obtener una cuenta de ahorros por separado, deposite el 10% de todo lo que gane en esta cuenta, y déjelo allí.

4. Cree transferencias automáticas que aumenten este fondo todos los meses o cada vez que reciba ingresos. Automatizarlo es de gran ayuda. Ni siquiera notará que no cuenta con ese dinero todos los meses, ni tampoco tendrá que tomar la decisión mensual de transferirlo usted mismo. Haga automático el Principio 1 (invierta en usted mismo).

Técnicas para la disciplina económica eficaz

5. Si realmente está luchando para realizar estos cambios (y a menos que pague toda su cuenta de tarjeta de crédito todos los meses), deje de hacer compras con la tarjeta de crédito. O póngalas en el congelador para que, cuando atraviese un momento de debilidad, tenga que esperar a que se derritan para poder utilizarlas. (Si las derrite por microondas, se arruinarán). De alguna manera, tener que entregar efectivo por una compra duele más que mostrar una tarjeta de crédito.

6. En la misma línea, haga los arreglos necesarios para que, si quiere sacar dinero de su banco, su asesor financiero deba ofrecerle su aprobación o estar presente, en especial en los casos de compras espontáneas o usos de su fondo de emergencias. Esto hará que se detenga a pensar si realmente necesita hacer esta compra o no. Sin importar lo que decida, también deberá convencer a su mentor.

7. Lleve un registro de todos sus gastos. Es un hábito importante. Es esencial. Anote cada centavo que gasta en una libreta, sume los totales con frecuencia y hable sobre ellos con su pareja. Vigilar su dinero le ayudará a controlarlo. Consulte el libro de ejercicios para obtener asistencia con las herramientas de vigilancia.

8. Si tiene problemas para pagar deudas, no deje de comunicarse con sus acreedores. Mientras esté pagándoles algo, usted será un activo para ellos. Puede llamarlos y negociar con ellos. Hay empresas que pueden negociar por usted, pero algunas son estafadoras, así que debe investigarlas antes de contratar sus servicios. También tenga en cuenta que algunas tienen tarifas altas, así que tenga cuidado.

Pero comuníquese con las personas a las que les debe dinero y negocie a fin de que sigan trabajando con usted. Ellos quieren que siga pagándoles, así que, si trabaja con ellos, seguramente estarán motivados a hacer un trato.

9. Rentar una casa puede ser una buena idea para ciertas personas, en especial en momentos de desaceleración económica, porque no se ven obligadas a bajar por el tobogán descendente de la tasación. Además, le ahorrará los numerosos costos de mantener un hogar. Las personas creen que ser propietarias es la única forma de salir adelante pero, en una economía en dificultades, en realidad es lo opuesto (hablaremos sobre esto más adelante).

10. Si lo necesita, venda algunas de sus cosas. Esto puede ser difícil en el momento, pero lo ayudará a conservar la concentración cuando se sacrifica para lograr sus nuevos objetivos de solvencia. Por ejemplo, en un año flojo, Chris Brady buscó en la cochera y vendió unas viejas tarjetas de colección de motocross. De hecho, vendió a través de internet un paquete pequeño de tarjetas por $60 y un antiguo libro sobre automóviles Ford Mustang por $90. Fue una verdadera bendición en una época de dificultades económicas. Así sea a través de internet o en su cochera, simplemente encuentre las cosas que no usa y véndalas.

Más técnicas esenciales

11. Recompénsese por cumplir sus metas, como ir al cine, si se ajusta al presupuesto toda la semana. Use recompensas simples y no deje de dárselas.

Por ejemplo, Rob pasó el verano de segundo año de facultad haciendo ventas de puerta en puerta. Le habían ofrecido una práctica comercial. Pero un mentor le había dicho que ganar experiencia en ventas sería lo más importante que podría hacer, así que terminó en la humedad y el caliente sol del medio oeste de Estados Unidos caminando de casa en casa tratando de concretar ventas.

Ganó $26.000 en tres meses, así que el verano siguiente decidió volver a hacerlo. Esta vez ya era un veterano, y completó con éxito su primer día de ventas y todos los días a partir de entonces, enardecido y trabajando duro.

El segundo año, sonreía sin problemas cada vez que le rechazaban su presentación y de manera positiva anotaba otra marca en su página. Sabía que según sus registros del año anterior, tenía un promedio de diecinueve rechazos por cada compra, de modo que trabajó duro para lograr diecinueve marcas en su hoja.

Cuando marcó el rechazo número diez, exclamó: "Esto es tan emocionante. ¡Me falta menos de la mitad para una venta!" Cuando marcó el rechazo número dieciséis, se apresuró con anticipación. "¡Solo tres más para sacar el premio mayor!" se dijo a sí mismo con entusiasmo.

Su energía cada vez mayor lo convirtió en un mejor vendedor, y ese año, realizó una venta por cada trece rechazos. Aun así, era un trabajo muy duro, de modo que se motivaba con una hoja que le mostraba la recompensa que obtendría al terminar el verano. Se prometió un pequeño automóvil usado si lograba más de $30.000 y un Mustang si ganaba más de $70.000. La máxima recompensa, lo que *en verdad* deseaba, era un camión Toyota Tundra con cabina, que se había prometido a sí mismo si vendía más de $100.000 durante el verano.

Cuando regresó a la escuela con su nuevo camión y más de $100.000 en el banco (había ganado más de $130.000 en tres meses), les dijo a sus amigos que al final, quería dejar el dinero en el banco y olvidarse del camión.

«Pero en ese momento una parte de mi seguía diciéndome: 'Te esforzaste para empezar a vender todos los días a las 9:00 a.m. y seguir vendiendo hasta pasadas las 9:00 p.m. todas las noches, durante meses, y todo el tiempo, abrías tu carpeta y admirabas las imágenes de ese nuevo Toyota Tundra gris. Si tú no honras tu promesa, nunca volverás a ser ese tipo de vendedor'».

Inspírese y honre las promesas que se haga. Desde luego que es mejor comenzar con recompensas

Inspírese y honre las promesas que se haga a sí mismo.

pequeñas y simples e incrementarlas con el tiempo. Por ejemplo, el primer verano, Rob se recompensaba saliendo a comer a su restaurante preferido por cada seis ventas que realizaba.

12. Pague el 10% de su ingreso y realice donaciones generosas a organizaciones benéficas y filantrópicas. El espíritu generoso es el espíritu de la abundancia, y vivir con actitud de abundancia lo bendecirá en muchas formas. Dicho eso, no haga caridad pensando que al dar recibirá más. Puede suceder, pero no lo espere. Dé para ayudar. Dé aunque esté en bancarrota.

La gurú en economía Suze Orman sugiere que si uno tiene miedo o está preocupado por su economía, lo primero que debe hacer es extender un cheque para una entidad benéfica y enviarlo. Si está muy preocupado, envíe varios cheques. Esto le da un ánimo de abundancia y lo ayuda a ver sus inquietudes económicas desde una mejor perspectiva. Alguien está en una situación peor que la suya, y C.S. Lewis dijo que la cantidad correcta para donar es hasta donde duele.

No envíe dinero que no tiene, pero cancele su cable, deje de ir a Starbuck's a tomar café o venda algo y ofrézcaselo a aquellos que lo necesitan más que usted.

USE EL 10% DE SU INGRESO PARA DAR EL DIEZMO. NO DEJE DE DAR AUNQUE ESTÉ EN BANCARROTA. DAR DINERO LO COLOCA EN UNA MENTALIDAD DE ABUNDANCIA Y PONE CUALQUIER PREOCUPACIÓN ECONÓMICA EN PERSPECTIVA, DE MODO QUE DAR NO DEBE LIMITARSE A PAGAR EL DIEZMO. LA BIBLIA CLASIFICA EL ACTO DE DAR EN LAS SIGUIENTES CATEGORÍAS: 1. DIEZMOS, Y 2. OFRENDAS.

Chris Brady contó la historia del hermanito de un amigo suyo que puso su moño en el plato de ofrendas cuando niño. Él pensó que el pastor había dicho: "Moños y ofrendas. Su corazón estaba en lo cierto, y estaba siguiendo el Principio 6, ¡a su corta edad!

13. Conozca su propósito en la vida. No permita que el dinero o las complicaciones que trae aparejadas desbaraten su vida. Concéntrese en la gallina de los huevos de oro, es decir, en su trabajo o empresa u otra fuente de ingresos (conoceremos más al respecto más adelante), y no tanto en qué hacer con los huevos. Incluso si alguna oportunidad resulta un excelente negocio, si lo aleja de su propósito vital, no se quede atrapado en ella.

14. Ambos cónyuges deben ir en una misma dirección. Esto es muy importante. En muchas relaciones, uno es el gastador natural y el otro el ahorrador. Haga lo que sea necesario para que juntos sean solventes.

Si su matrimonio es como el de Jane Bennett y el Sr. Bingley en la clásica novela de Jane Austen *Orgullo y prejuicio*, es decir, que ambos son gastadores naturales, es muy importante conseguir la ayuda de un buen asesor económico que los haga darse cuenta de sus actos. De lo contrario, alguien también podrá escribir un libro sobre ustedes en algún momento

Mantenerse positivo

En todo este asunto, encuentre formas de que resulte divertido. Se debe poder disfrutar el aprendizaje y la aplicación de los principios de la solvencia. La verdad es que el control de su economía lo hará sentir más feliz, más poderoso, más confiado y con más control de otros aspectos de su vida. Cuando las personas comienzan a sentir el control de su dinero, casi siempre comentan cómo otras áreas de sus vidas comienzan a mejorar.

Tómese el tiempo para apreciar los beneficios de estos cambios positivos mientras ocurren. Cuando hable con su pareja u otras personas sobre estos ajustes económicos, concéntrese en los aspectos positivos. El investigador de negocios, Peter Drucker, descubrió que un tema común entre los grandes líderes es que casi siempre "matan de hambre a los problemas y alimentan las oportunidades". Aplicar los principios de este libro y usar el cuaderno de ejercicios como ayuda para registrar su progreso y concentrarse en la construcción sostenida lo ayudarán a conservar una actitud positiva.

Además, siéntase orgulloso de usted mismo al generar estos cambios en su vida. Este es un arduo trabajo pero usted está a la altura de las circunstancias. Y verá cómo su carácter se incrementa al igual que su prosperidad, al adquirir los hábitos de la solvencia. ¡Usted puede hacerlo!

SEIS

Una vez que empezó a cubrir los aspectos básicos, ¿qué es lo siguiente?

"El éxito no es mágico ni misterioso. El éxito es la consecuencia natural de aplicar los fundamentos básicos de manera constante".
—JIM ROHN

Una vez que esté implementando los fundamentos básicos, domínelos. Este sabio consejo se puede aplicar a muchos campos, y tal vez a todos, pero es particularmente relevante cuando se lo aplica a la solvencia. En la Segunda parte de este libro, presentaremos los principios de la posición ofensiva de la solvencia (cómo generar más dinero) y luego, en la Tercera parte, nos concentraremos en la defensa (cómo cuidar y proteger su dinero). Pero los aspectos básicos y preliminares que tratamos ahora son los *cimientos* del éxito económico.

Dinero y felicidad

Otro principio básico importante de la solvencia tiene que ver con la relación entre la economía y la felicidad. *La Declaración de la Independencia* menciona la vida, la libertad y la búsqueda de la felicidad como tres de los derechos más importantes e inalienables que gozan todos los seres humanos. Si bien la vida y la libertad son evidentemente necesarias para el éxito económico, la búsqueda de la felicidad tiene igual importancia.

Necesitamos un entorno libre para poder soñar, crecer, conseguir e incrementar la prosperidad.

No obstante, la felicidad no está ligada por completo al dinero. Las personas pueden ser felices sin prosperidad y, de hecho, algunos grandes héroes han demostrado que es posible ser felices sin siquiera libertad. Pero cuando las personas tienen problemas de dinero, esto casi siempre influye de manera negativa sobre la sensación de felicidad.

Las luchas por dinero *pueden* afectar su nivel de infelicidad. Usted debe hacer que su vida funcione de manera tal que esto no afecte su felicidad, pero para la mayoría de las personas los desafíos monetarios son muy estresantes. Ganar dinero no lo hará más feliz pero sin dudas puede reducir este tipo de tensión.

Tómese un momento y realice el siguiente ejercicio: Enumere sus cinco problemas principales: escríbalos. Ahora observe la lista y pregúntese cuántos de estos problemas se podrían resolver si tuviera mucho dinero. Si desaparecen, entonces el problema no es realmente el dinero... *sino su falta*. Esto demuestra cómo el dinero puede eliminar algunos problemas.

Asimismo, sin libertad económica, uno no es verdaderamente libre. Muchas personas no tienen la influencia que podrían tener porque están atascados con su economía. Con más recursos podrá ir más eficazmente tras la visión de su vida.

> **Muchas personas no tienen la influencia que podrían tener porque están agobiadas por su situación económica. Contar con más recursos le permitirá abocarse a la visión de su vida con más eficacia.**

Incluso la riqueza no aumenta automáticamente la felicidad pero la aplicación de los verdaderos principios (en todas las áreas de la vida) ayuda de manera directa a que las personas se sientan mejor. Para ser felices, las personas deben *dar* felicidad. Cuando servimos a Dios y a los demás, ayudando de manera genuina a que las personas sean más felices, aumenta nuestra propia felicidad. Vale la pena repetir: la felicidad proviene de servir a los demás y de conducir su vida por el camino de Dios y los verdaderos principios, conociendo quién es usted y *a quién* pertenece.

El objetivo no es convertirse en un avaro abocado a su pequeña pila de dinero. Como ya dijimos, el dinero es una herramienta, como un martillo. ¿Qué pensaría si un carpintero se obsesiona con su martillo? No está bien.

Como explica Chris Brady: "Gane dinero para hacer lugar a sus prioridades y estar al servicio en el Reino de Dios". En dicho servicio, el dinero es una herramienta poderosa.

Permítaselo

De chico, ¿no se cansaba de escuchar la frase "No podemos pagarlo" de sus padres? Esto puede resultar frustrante. Pero lo peor sería tener que decir eso mismo sobre el sueño de su vida.

Lamentablemente, la mayoría de las personas nunca pueden permitirse sus mayores sueños, la visión de sus vidas, sus propósitos más profundos. La verdadera felicidad proviene de hacer lo que uno está destinado a hacer y tener los recursos para hacerlo: éste es el verdadero propósito de la solvencia a largo plazo. Su propósito no es (ni debe ser) tener ingresos más altos sino libertad para realizar elecciones. Vivir según los principios de la solvencia le brinda más opciones.

A continuación se formula la gran pregunta que todos debemos responder: ¿En qué resultado se concentrará una vez que esté bien encaminado a ser solvente y no tenga que esforzarse por conseguir más dinero? ¿Cuál es la visión de su vida?

¿Qué es el dinero realmente? La verdad es que el dinero es un recibo por sus servicios a los demás, de modo que su servicio más importante es lo que lo ayudará a obtener la riqueza.

EL USO DE SU TIEMPO, DINERO Y TALENTOS PARA AYUDAR GENUINAMENTE AL PRÓJIMO REDUNDARÁ EN UN AUMENTO NATURAL DE SU FELICIDAD. BUSCAR DINERO SOLO POR TENERLO PUEDE INFLUIR O NO EN SU FELICIDAD, PERO BUSCAR DINERO PARA CONCRETAR SU COMETIDO, Y AYUDAR Y BENDECIR A LOS DEMÁS LO HARÁ MÁS FELIZ AUTOMÁTICAMENTE.

Nuestro amigo Chris es ayudante del alguacil en un condado con un alto índice de delitos en Michigan. También es un empresario exitoso y dueño de varias empresas rentables. Además, es un consagrado fisicoculturista y finalista de Iron Man (Hombre de Hierro) en múltiples oportunidades.

No obstante, el reconocimiento del público, el éxito financiero y los logros personales no le bastaron. Chris quería devolver. Al ser oficial de policía, estaba en una posición única para ver los pedidos y necesidades de los vecindarios más conflictivos de su ciudad. Inspirado en las 5.000 personas que alimentó Jesús según los Evangelios, Chris y algunos colaboradores decidieron coordinar la distribución de comida casera gratuita en el mismo vecindario, todos los martes.

Su objetivo no era otra cosa que suplir una necesidad y devolverle algo a su comunidad. Desde hace años, los ciudadanos agradecidos hacen cola para conocer a Chris y a otros rostros sonrientes en la línea que sirve la comida. Chris insiste en estar allí personalmente, llueva o no, todas y cada una de las semanas. Además de comida, Chris y sus colaboradores entregan amor. Todos saben que a alguien le importa. Chris y personas como él han descubierto que en realidad se trata de devolver.

Entrar en acción

Tómese algunos momentos ahora mismo para anotar sus planes a los cuales aplicar el principio tratado en este capítulo. Enumere las formas en las que podría dar más de su tiempo, talento y recursos para ayudar a los demás y marcar una diferencia positiva en su iglesia, comunidad, nación, etc.

Los grandes siete

Comprender y aplicar estos primeros siete principios de solvencia lo colocarán en el camino al éxito económico. Es imposible vivir estos principios sin ver una mejora importante en sus arcas. De hecho, si se detuvo aquí y no leyó más del libro pero aplicó de manera consistente estas siete leyes de la solvencia, podría ver cómo su situación económica mejoró radicalmente.

Hay un antiguo y conmovedor dicho que dice más o menos así: "Los aspectos básicos son los aspectos básicos, los aspectos básicos". Vivir según ellos le deparará éxito, así como no vivir según ellos lo pondrá en apuros económicos.

Los principios que se tratan en el resto del libro son igualmente importantes. Y si ya aplica los primeros siete, entonces cuando conozca y aplique los que aún están por venir, estará firmemente en el camino a la solvencia y la eventual prosperidad. En efecto, si aplica estos siete principios ahora, ya se encuentra en el camino a ser solvente.

El exitoso líder de negocios Claude Hamilton nos cuenta la historia de cómo conoció y aplicó los principios de la solvencia:

> De niño, el dinero no era un tema que se tratara en el hogar, excepto cuando sucedía una sola cosa: ¡cuando escaseaba! Cuando me fui de mi casa, a los dieciséis años y me alisté en el ejército, pronto me encontré con un ingreso estable y los bancos y compañías de tarjetas de crédito estaban más que felices de ofrecerme crédito. No sa-

73

bía cómo hacer un presupuesto, un balance de chequera, ni ahorrar para épocas difíciles, y no conocía los beneficios de ahorrar y ganar el interés compuesto.

Me sentía aliviado dentro de mi sufrimiento porque todos mis amigos se encontraban en la misma situación. Sabía que había personas que no vivían así, y que la diferencia radicaba en que ellos sabían algo que yo no.

Fui a una librería y rápidamente encontré algunos libros con promesas maravillosas en sus títulos sobre cómo volverme rico con bienes raíces, comprar oro y participar de la bolsa de valores. Compré todos a crédito y me fui a mi casa con la sensación de que pronto sería rico.

De más está decir que esos libros no fueron la solución. Cuando conocí a mi amigo Dave, me di cuenta de que él tenía una actitud muy diferente con respecto al dinero. Cuando mi grupo de amigos compraba cafés extragrandes, él se compraba el más pequeño. Cuando salíamos a cenar y me compraba refresco, aperitivos y postre, Dave solo consumía lo mínimo. No conducía automóviles último modelo y tampoco tenía ropa de moda. Pero noté algo que lo distinguía de los demás: parecía no discutir por dinero con su esposa.

Después de observarlo durante un tiempo, un día le pregunté por qué utilizaba el dinero de manera diferente. En lugar de ser el centro de atención y darme una charla sobre el dinero, me dijo que me traería un libro. Luego, me alcanzó una copia de *The Richest Man in Babylon (El hombre más rico de Babilonia)*. Después de leer unas pocas páginas, aprendí que debía ahorrar una parte de todo mi ingreso. Esto me hizo estudiar los principios de la solvencia.

Como ya estaba familiarizado con muchos libros «para hacerse rico rápidamente», enseguida me di cuenta de que el libro que me dio Dave era diferente. Éste enseñaba con principios y proponía una visión a largo plazo. De inmediato comencé a llevar estos conceptos a la práctica y aprendí una valiosa lección sobre las fuentes de información. Era bueno tener un mentor que pudiera diferenciar la buena información de la mala. Comencé a buscar otros libros que me enseñaran los verdaderos principios de una sabiduría económica duradera. Pero me resultó difícil encontrar todo lo que necesitaba, ya que muchos libros solo tenían uno o dos principios escondidos entre cosas que en verdad no ayudaban.

Uno de mis más grandes obstáculos a vencer era querer "tener lo mismo que los demás". La mayoría de las personas quieren parecer ricas pero terminan siendo pobres. Decidí que tener seguridad económica era mejor que aparentar tener dinero. De modo que comencé a practicar la gratificación diferida.

Muchas personas confunden esto. Creen que no comprar algo que no puedas pagar es una gratificación diferida pero en realidad, la clave es no comprar todo lo que puedas pagar. Adquirir el hábito de ahorrar es la primera clave. Y si tiene deudas y no puede costear un Hummer, no comprarse uno no es una gratificación diferida, solo es no ser estúpido. La gratificación diferida es cuando *puede* pagar algo pero no lo hace porque prioriza su seguridad económica por sobre un nuevo juguete o algo que no necesita.

Con el tiempo aprendí más y más sobre el manejo del dinero y la toma de decisiones lógicas a largo plazo en lugar de decisiones emocionales a corto plazo. Hoy en día, me entusiasma poder ayudar a mis hijos, a mi familia y a mis amigos para que nunca tengan que pasar por lo mismo si solo aplican los principios básicos de la solvencia.

Los aspectos básicos funcionan y quienes los aplican lograrán ser solventes.

Resumen de la Parte I: Aspectos básicos

- La mayoría de las personas no aplican los principios de la solvencia y, por lo tanto, luchan constantemente con su economía. Lo invitamos a que sea la excepción, a que se sume a la minoría, al 5% que conoce y aplica los principios del éxito económico.

- A continuación mencionamos los principios básicos fundamentales de la solvencia que se tratan en la Primera parte:

  ➤ PRINCIPIO 1: Lo que determina el éxito económico no es cuánto dinero gana, sino cuánto conserva. Invierta primero en usted y ahorre lo invertido.

  ➤ PRINCIPIO 2: El dinero es un don; tiene un uso específico. Esto significa que usted tiene un cometido. Debe usar el dinero para algo importante, para su familia y para su comunidad.

  ➤ PRINCIPIO 3: Viva de acuerdo a sus medios. Siempre. Sin excepciones. Punto y aparte. Ríjase por un buen presupuesto. Que cada uno de los esposos cuente con una pequeña parte para que todos los meses tengan algo de dinero discrecional y no tengan que cuestionarse mutuamente por pequeñas cosas.

  ➤ PRINCIPIO 4: Deje de recibir consejos económicos de personas que están en bancarrota; recíbalos de aquellos cuya economía usted desea emular.

  ➤ PRINCIPIO 5: Realice un presupuesto de manera coherente y ahorre para gastos inesperados.

➤ PRINCIPIO 6: Use el 10% de su ingreso para dar el diezmo. Dé aunque esté en bancarrota. Dar dinero lo coloca en una mentalidad de abundancia y pone cualquier preocupación económica en perspectiva, de modo que dar no debe limitarse a pagar el diezmo. La Biblia clasifica el acto de dar en las siguientes categorías: 1. diezmos y 2. ofrendas.

➤ PRINCIPIO 7: El uso de su tiempo, dinero y talentos para ayudar verdaderamente a los demás aumenta de manera natural su felicidad. Buscar dinero solo por tenerlo puede influir o no en su felicidad, pero buscar dinero para concretar su cometido, y ayudar y bendecir a los demás lo hará más feliz automáticamente.

- Este libro está diseñado no solo para informar sino para *transformar*; cada lector debe describir cómo implementará estos principios en su vida cotidiana.

- Si omitió algunas de las tareas de este libro o no anotó su plan para cada uno de los siete principios cubiertos hasta el momento, deténgase de inmediato y realice estos ejercicios sumamente importantes. Lo colocarán directamente en camino a la solvencia.

- Una vez que realice los siete principios básicos, concéntrese con mayor atención y aprenda a dominarlos. Conviértalos en hábitos: ponga una parte de su vida en piloto automático.

SEGUNDA PARTE

POSICIÓN OFENSIVA

«AVANCEMOS»

El objetivo de la ofensa en el juego del fútbol americano es anotar pero la mayoría de los entrenadores enseñan que el objetivo del juego es avanzar, porque si sigue consiguiendo oportunidades, eventualmente anotará pero si se concentra en anotar, podría no obtener una oportunidad y terminará teniendo que entregar la pelota al equipo contrario. En el béisbol, se aplica el mismo principio de concentrarse en intentar llegar a la base cada vez en lugar de concentrarse en lograr jonrones. Este es un excelente consejo para la solvencia: Olvídese de los esquemas "hágase rico rápidamente" y solo siga los principios diarios comprobados del éxito económico que se incluyen en este libro. En la Segunda parte abordaremos las actitudes, los valores y las habilidades para aumentar su prosperidad, un principio a la vez:

Una antigua creencia griega sostiene que:
"Dios ama a los honrados pero bendice a los audaces".

Un dicho más moderno ilustra el mismo punto:
"¡La magia está en los grandes sueños!"

SIETE

Opiniones sobre el dinero

"¡Prefiero llevar una bolsa de plástico con cinco mil euros
dentro que llevar una bolsa Louis Vitton/Gucci/Prada con solo
un euro en su interior!"
—JOYBELL C.

La mayoría de los libros sobre economía personal comienzan (y por lo general terminan) con un enfoque sobre la defensa de la economía (cómo saldar las deudas, proteger su dinero y prepararse ante contingencias). Pero la defensa es el peor lugar para comenzar porque promueve la mentalidad equivocada. La defensa del dinero es de vital importancia pero convertirla en la principal prioridad a menudo hace que la gente tenga una actitud de escasez en lugar de abundancia.

Trataremos la ofensiva económica (cómo generar más dinero) primero y la defensa (cómo proteger los recursos propios) después, porque los valores y las actitudes de la ofensiva económica son naturalmente abundantes, agresivos y audaces. Un ataque económico exitoso requiere iniciativa, innovación, ingenuidad y tenacidad: los valores empresariales.

> **Una actitud de abundancia es central para la solvencia.**

Imagínese el comienzo de un juego de básquetbol en horario central durante la Locura de marzo (March Madness). Los dos centros están en guardia en el medio del campo de juego, el árbitro lanza la pelota y uno de los jugadores salta más alto que su oponente: ¡y deliberadamente empuja la pelota hacia un miembro del otro equipo!.

Asombrado y molesto, su entrenador pide tiempo muerto y le pregunta al centro: "¿Por qué le pasas la pelota al otro equipo? ¿Quieres *perder*?".

"Tenemos una defensa tan buena, entrenador," responde el jugador, "que quise comenzar a usar nuestros puntos fuertes".

Exasperado, el entrenador dice: "Hijo, el objetivo del juego es marcar más puntos, y si bien una excelente defensa puede recuperar la pelota más seguido, el sentido de la defensa es *recuperar la pelota y seguir atacando*. Ahora sal al campo de juego y anota."

Esta es la actitud de la abundancia y es clave para la solvencia.

Opiniones sobre el mundo

Una de las influencias más importantes en sus hábitos para gastar y tomar (o no tomar) préstamos provienen de sus visiones básicas del dinero. Estas opiniones pueden cambiar: desde luego que a menudo *deben* cambiar si quiere ser solvente; pero primero debe comprender cuál es la visión del dinero que maneja actualmente.

La expresión *visión del mundo* se puso de moda en la década del 90 y la popularizaron filósofos y expertos de los medios de comunicación que debaten asuntos espirituales y políticos. Se refiere a las lentes a través de las cuales las personas ven e interpretan el mundo que las rodea.

Si bien una *opinión* consta de los pensamientos y sentimientos de una persona sobre un tema dado, una *visión del mundo* es una filosofía de vida general que incluye perspectivas combinadas de una persona sobre la vida, las relaciones, el dinero, la educación, la profesión, la política, la economía, la verdad, el entretenimiento, etc. Toda información y observaciones pasan a través de esta lente global y son coloreadas por la visión del mundo de cada persona.

De igual manera, cada persona también tiene una *visión del di-*

nero, ya sea de manera consciente o inconsciente. En nuestras casi dos décadas de tratar con personas y su economía, lentamente nos hemos dado cuenta de que la forma en que las personas se manejan a nivel económico a menudo es resultado directo de su visión del mundo. Al igual que con las visiones del mundo, existen diferentes opiniones sobre el dinero, y cada una conduce a sus propias ramificaciones.

Diez opiniones sobre el dinero

Incluyen las siguientes opciones:

1. Dinero como Misterio: en esta visión sobre el dinero, las personas parecen no tener idea de cómo se genera, cómo se conserva ni cómo funciona. Como resultado, aquellas personas que comparten esta visión tienden a pensar que las personas que tienen éxito económico son de alguna manera "afortunados".

   Desde este punto de vista, seguir los principios de la solvencia es como apostar, funcionará si tiene suerte y fallará si no la tiene. Las personas con esta opinión sobre el dinero tienen escasos recursos económicos hasta que adoptan otra visión, más precisa, y comienzan a aplicar los principios de la solvencia.

2. Dinero como Amo: desde esta perspectiva, toda la vida de una persona queda sujeta a pagar las cuentas. El centro es la falta de dinero, la necesidad de más y el duro y aburrido trabajo de subsistir. Las personas con esta visión le dicen constantemente a sus hijos: "No podemos pagar esto...No podemos pagar aquello....No podemos pagarlo, cariño". Al mismo tiempo, suelen comprar cosas a crédito diariamente que creen que no pueden comprar, pero que deben

tener.

Todo el tiempo usan frases como: "Tengo que ir a trabajar" u "Otro día, otro dólar". Pregúnteles cómo están y en lugar de decir: "Bien, gracias», o "Excelente. ¿Y usted?", contestarán, "¡Demasiado ocupado!" o "¡Matando el hambre!".

Como resultado, siempre están mal con su economía. Compran cosas antes de tener el dinero para hacerlo y viven sus vidas sintiéndose esclavos de sus deudas. Sus deudas son sus amos.

3. Dinero como Monstruo: esta visión del mundo tiene lugar cuando los problemas con el dinero como amo duran demasiado tiempo y se vuelven cada vez peor. En esta situación, las presiones económicas se tornan tan grandes que dominan los pensamientos de la persona y la afectan a nivel emocional. La abrumadora tensión de los problemas económicos influye negativamente en cada parte de su vida. En esta etapa suelen dañarse las relaciones y se ve comprometida la salud.

4. Dinero como Especialidad: una persona con esta visión aplica la mayor parte de su enfoque y fascinación a cómo adquirir más. El dinero se convierte en la única medición de éxito en su mente y el único objetivo por el que realmente se preocupa. En esta situación, el dinero es un referente. Obtener más dinero domina la vida de una persona con esta visión.

Esta perspectiva por lo general conduce a una serie de esquemas fallidos de "hágase rico rápidamente" y un enfoque sobre el dinero basado en un programa de televisión: "Si tan solo pudiera ganar un reality show o la lotería, me salvaría de por vida". En estos esquemas se desperdicia mucho dinero y esfuerzo, y aquellas personas con esta visión casi nunca le dan crédito alguno a los sólidos y comprobados principios de la solvencia.

O, lo que es incluso más alarmante, las personas con esta visión a veces comprometen su integridad porque el dinero es más importante para ellos que su carácter.

5. Dinero como Motivación: esta es la condición por la cual se utiliza el dinero para presionar a una persona para alcanzar un logro mayor y realizar una contribución más grande. Puede resultar una motivación por razones altruistas o egoístas: por lo general es una combinación de ambas. Tenga cuidado con esta visión sobre el dinero porque a menudo crea enfoques poco saludables para el trabajo, las relaciones y la vida.

No obstante, sentirse motivado en función de un objetivo o propósito de vida superior y usar el dinero como herramienta en pos de este importante cometido, es una motivación más saludable y efectiva.

6. Dinero como Manipulador: en esta visión, las personas usan su dinero para obtener lo que quieren de los demás. De aquí proviene la filosofía «El dinero es poder». Es un enfoque del dinero muy peligroso porque coloca al individuo en un lugar capaz de herir a las personas que considere inferiores, y racionalizar comportamientos deshonestos como: "Son solo negocios". Muchos de los que se ven atrapados en esta situación también les temen a aquellos que consideran sus superiores económicos.

Una persona que busca dinero para tener poder nunca alcanzará sus sueños porque nunca tendrá suficiente poder (y por lo tanto, dinero). Este es un camino hacia la ruina de las relaciones y hacia la soledad.

7. Dinero como Minimizador: este es el estado en el que la presencia del dinero minimiza las ambiciones de una persona. Si una persona con esta visión tiene suficiente dinero por ahora, renuncia a los objetivos de su vida y a su cometido. En esta visión proliferan la complacencia y la mediocridad.

8. Dinero como Maximizador: una persona con esta visión utiliza su dinero para generar una mayor contribución y aprovechar al máximo su potencial. Esto por lo general es mucho más desinteresado y altruista que la visión anterior. Un verdadero aprovechamiento al máximo lo ayuda a estar a la altura de su máximo potencial sin dejar de ayudar a los demás a hacer lo mismo.

Las personas con esta visión se disciplinan a sí mismas para vivir los principios de la solvencia, tomar decisiones económicas según una visión a largo plazo, adoptar el hábito de una gratificación diferida y utilizar la naturaleza compuesta del dinero para crear negocios y alcanzar sus sueños.

El dinero puede maximizar su objetivo de vida.

9. Dinero como Monumento: en esta visión, el dinero se utiliza como un símbolo de estatus, para formar una reputación, o en un intento por establecer un legado familiar inmortal. Esta visión del dinero es casi siempre

poco saludable y perjudicial, para aquellos que la aplican y quienes los rodean.

10. Dinero como Amenaza: aquellos con esta visión utilizan el dinero como una fuerza destructiva en sus propias vidas y en las de sus allegados. Alimentan adicciones, provocan peleas o pierden su tiempo y energía en la necesidad desesperada de obtener y gastar más dinero.

Elija su propia opinión sobre el dinero

Una parte de ser solvente consiste en elegir de manera inteligente la visión del dinero correcta. Las personas exitosas adoptan la visión del Dinero como Maximizador, incluso si se criaron con otras perspectivas. Mientras considera esta lista de las más populares visiones del dinero, tal vez le sirva hacerse las siguientes preguntas:

- ¿Qué visión del dinero representa mejor la situación en la que se encuentra *en este momento*?
- ¿Cuáles de estas visiones del dinero ha encontrado en las vidas de las personas que conoce?
- ¿Cuáles ha seguido durante un período de su vida?

Tenga en cuenta que varias de estas visiones son bastantes negativas. ¿Qué hace para asegurarse de tener una visión del dinero positiva y productiva?

El significado del dinero

Todas las visiones descritas anteriormente ilustran el hecho que el dinero siempre se utiliza como *medio*. Por lo tanto, la pregunta clave es la siguiente: ¿Como medio para qué? Es por esto que la Biblia lo trata una y otra vez como un problema del corazón.

El dinero en sí mismo no es el demonio pero el corazón a menudo lo ve como una herramienta para las cosas equivocadas. El dinero se convierte en una herramienta peligrosa o productiva según el corazón de quien lo esgrima.

> **El dinero puede ser una herramienta productiva o peligrosa, según el corazón de quien lo maneje.**

Asegúrese de elegir su visión del dinero deliberada e intencionalmente.

LAS PERSONAS CON LA VISIÓN CORRECTA DEL DINERO SE DISCIPLINAN PARA VIVIR LOS PRINCIPIOS DE LA SOLVENCIA, PARA TOMAR DECISIONES FINANCIERAS EN FUNCIÓN DE UNA VISIÓN A LARGO PLAZO, ADOPTAN EL HÁBITO DE LA GRATIFICACIÓN DIFERIDA Y EMPLEAN LA NATURALEZA ACUMULATIVA DEL DINERO A FIN DE MATERIALIZAR SUS SUEÑOS.

Grábelo en la piedra

Piense detenidamente en la visión o visiones del dinero que tenía cuando empezó a leer este libro. Escríbalas. Ahora, escriba la que le gustaría alcanzar. ¿Qué se compromete a hacer para realizar este cambio? Tome nota de esto y prepárese para hacerlo realidad.

OCHO

Invertir en usted mismo

"Las bibliotecas lo ayudarán a sobrellevar las épocas sin dinero mejor de lo que el dinero lo ayudará a sobrellevar las épocas sin bibliotecas".
—Anne Herbert

La mayoría de las personas tienen mucho conocimiento sobre el dinero. Lo aman por sí mismo o le temen (principalmente a no tener suficiente). Aquellos que dominan la solvencia no quedan atrapados en ninguno de esos extremos. Ven al dinero como una herramienta poderosa.

Piense en un maestro artesano de la madera. Es alguien con muchas herramientas, pero no es como Tim Allen el "muchacho herramienta", quien las ve como fin en sí mismo. Él utiliza cada herramienta para lo que fue concebida, siempre teniendo en cuenta su propósito final.

Al artesano no le gustan las herramientas; a él le encanta su propósito. Las herramientas son muy importantes para alcanzar ese propósito pero no son el centro de atención. Dicho esto, si quiere ser exitoso, tiene que gustarle el juego. Disfrute del trabajo que haga o el propósito para el cual trabaja.

El poder de la visión

Su visión a largo plazo (su sueño, su propósito, su cometido, su misión en la vida) le facilitan el poder para continuar su trabajo a pesar de cualquier contratiempo, alteración y desafíos que surjan.

Ya ha escrito su propósito antes, y si lo lee todas las mañanas y todas las noches permanecerá concentrado en sus metas reales. Coloque la leyenda de su visión a largo plazo en algún lugar visible y léala con frecuencia. El libro de ejercicios lo ayudará con este proceso.

Tenga siempre en cuenta que su visión, su cometido y propósito fundamental es la razón principal que necesita para ser solvente.

Hacerlo es la mejor inversión que podrá hacer.

Muy pocas personas que no tienen una buena situación económica hacen realidad sus sueños, mientras que casi todos los que viven según los principios de la solvencia logran realizar sus sueños y alcanzar su visión a largo plazo.

La mejor inversión que podría hacer

Una vez que tenga la visión por escrito y viva según los otros aspectos básicos que se trataron en la Primera parte, es hora de emprender la ofensiva, de "aprovechar el día," y tomar una medida poderosa que lo acerque a sus sueños y metas.

Un primer paso hacia la actitud de abundancia es recordar siempre que su inversión más importante es la inversión en usted mismo.

Un primer paso posible hacia la actitud de abundancia es recordar siempre que su inversión más importante es la inversión en usted mismo.

En la era industrial, las personas por lo general tenían un plan de cuarenta y cinco años para su carrera y formación laboral. La mayoría de las personas trabajaban toda su vida para una compañía y la seguridad laboral se fomentaba como prioridad principal. En la era informática de hoy en día, este esquema cambió radicalmente. La inestabilidad de las compañías, los empleos, campos profesionales enteros, la tecnología y la economía misma han creado una nueva definición de seguridad financiera.

La clave es invertir en usted y convertirse en el tipo de persona que siempre puede florecer económicamente. Este es el paradigma de la solvencia. Su comprensión de los principios del éxito económico, su actitud al aplicarlos y sus constantes esfuerzos por mejorar son inversiones muy poderosas.

En el siglo XXI, la tecnología está disminuyendo el poder y el alcance de muchas grandes corporaciones pero crea más oportunidades para aquellos con valores empresariales (iniciativa, inventiva, innovación y tenacidad, entre otros). En la economía actual, la única seguridad económica duradera es ser el tipo de persona que siempre puede tener éxito, independientemente de lo que suceda.

Invertir en *usted* mismo significa convertirse en esa persona. Uno de los pasos más importantes para invertir en usted mismo es obtener una formación de alta calidad en economía y liderazgo. Aquí no hablamos de estudios formales, que a menudo interfieren en una buena educación, sino de una verdadera comprensión y aplicación de los principios de la solvencia y un liderazgo eficaz.

El valor de este tipo de educación no se puede exagerar. Marca la diferencia en su capacidad para encontrar y aprovechar las ventajas de las oportunidades económicas.

Inversión en la mente

Invertir en usted mismo significa obtener una excelente educación, en especial en los campos de la familia, economía y liderazgo. También significa embarcarse en un viaje autodirigido de lecturas sobre liderazgo, principios económicos y otros campos importantes del conocimiento humano.

Los líderes más exitosos son ávidos lectores, siempre están

leyendo y aprendiendo más sobre antiguas áreas de interés y también sobre nuevos temas de importancia. Nunca olvide esta obviedad: los líderes son lectores.

Invierta en su mente. Lea libros y escuche cintas que constantemente lo ayuden a aprender más. Si pierde todo, aún conservará su mente, su conocimiento y su sabiduría.

Irónicamente, la mayoría de las personas que no tienen demasiado dinero y que luchan todo el tiempo a nivel económico realizan muchas compras innecesarias pero se resisten a la idea de comprar libros o cintas de audio que les enseñen sobre éxito económico y liderazgo. Ellos evitan invertir en sí mismos pero gastan cientos de dólares en dulces, refrescos y otras cosas azucaradas (sin mencionar la inevitable cuenta del dentista que esto trae aparejado) y numerosos "juguetes". Y lamentablemente, con el ejemplo, les enseñan a sus hijos a hacer lo mismo.

En ocasiones, las personas inscriptas en excelentes programas de aprendizaje y liderazgo piensan que pueden ahorrar dinero acortándolos pero esto es como reducir la comida. La clave es reducir cosas que *no* redundan en una inversión en usted mismo y comprar más libros y cintas que en verdad lo ayuden a invertir en su persona.

> **Sin importar lo que haga, siga invirtiendo en su intelecto.**

Comprar libros y cintas que aumenten su conocimiento de liderazgo y economía no es un gasto; es la mejor inversión de todas.

Sin importar lo que haga, no reduzca la inversión en su intelecto.

LAS PERSONAS SOLVENTES SON LECTORES APASIONADOS E INVIERTEN SIEMPRE EN ELLOS MISMOS AMPLIANDO SU EDUCACIÓN, EXPERIENCIA, HABILIDADES, CONOCIMIENTO Y APTITUDES, TANTO ECONÓMICAS COMO DE LIDERAZGO.

George y Jill Guzzardo trabajaban en el sector salud como fisiote-rapeuta y enfermera matriculada, respectivamente. Aunque tenían buenos ingresos, los Guzzardo vivían de sueldo en sueldo, con un saldo de $4.000 en sus tarjetas de crédito y cuotas de dos automóvi-les que sumaban otros $800 por mes. En otras palabras, sus ingresos servían para cubrir los gastos de su estilo de vida.

No obstante, esto comenzó a cambiar cuando los Guzzardo se convirtieron en propietarios de un negocio y empezaron a estudiar los principios de la solvencia. Eliminaron rápidamente todos los gastos superfluos y utilizaron los ahorros para invertir en su propio negocio. Y como redujeron sus gastos en numero-sas áreas innecesarias de sus vidas, aumentaron su inversión en aprender sobre economía y liderazgo.

Durante los siguientes años, los Guzzardo pagaron el saldo de sus tarjetas de crédito y las cuotas de sus automóviles, y como su negocio seguía creciendo, eventualmente pudieron renun-ciar a sus trabajos diarios. Además, su negocio les proporcionó ingresos suficientes para cancelar la hipoteca de su casa, lo que les permitió mudarse a una hermosa hacienda en Arizona, ser dueños de tres automóviles sin necesidad de recurrir a cuotas y conservar también su residencia en Michigan. George y Jill son la prueba viviente de que el trabajo arduo e inteligente puede mover montañas, y que el aprendizaje y la aplicación de los prin-cipios de la solvencia realmente funcionan.

Más información sobre invertir en usted

Invertir en usted mismo también significa participar en proyectos empresariales y obtener experiencia en liderazgo. Si tiene un empleo, significa hacer lo mismo como emprendedor interno: pensar como empresario, como líder y como innovador en su trabajo en lugar de solo limitarse a encajar en la descripción de su puesto.

Significa adoptar una mentalidad de propietario, pensar y actuar como propietario en lugar de solo tener mentalidad de empleado. Concéntrese en pensar como propietario en sus elecciones, en su trabajo, en la interacción con los demás y en todas las tareas, oportunidades de empleo y relaciones, sea el propietario o no, como un empresario externo o interno, o ambos.

Invertir en usted significa crear valor para usted, en cualquier cosa que esté haciendo. El trabajo que hace para su empleador es como acarrear baldes de agua una y otra vez a cambio de dinero, pero el negocio que crea usted mismo es como una tubería que sigue llevando agua incluso cuando usted deja de trabajar.

Vale destacar esta idea de tubería frente a los baldes. El trabajo que usted hace para un empleador le genera un ingreso activo (a cambio de su trabajo y de su tiempo), mientras que la empresa que construye le genera un ingreso pasivo (que sigue siendo redituable incluso cuando no está trabajando). Puede estar acarreando baldes para su empleador pero su enfoque está en construir una tubería como su sueño y visión a largo plazo. Volveremos sobre este tema más adelante pero parte de la inversión que haga en usted mismo está empezando a materializarse en esa tubería de ingreso pasivo.

Cuando realmente se destaque en su trabajo actual, le darán más responsabilidades, y cuando haga lo mismo con las nuevas responsabilidades, se convertirá en un líder cada vez mejor.

Por eso es tan importante la parte ofensiva de las finanzas para alcanzar la solvencia. En cualquier cosa que se encuentre trabajando, destáquese realmente para poder invertir en usted mismo. El resultado natural será el progreso y el aumento de la prosperidad y las oportunidades.

LAS PERSONAS SOLVENTES SOBRESALEN EN SU TRABAJO Y SUS PROYECTOS ACTUALES MIENTRAS INVIERTEN EN SÍ MISMOS PARA REALIZAR SU VISIÓN A LARGO PLAZO.

La combinación de concentrarse diariamente en su visión a largo plazo y su sueño mientras se destaca en su trabajo y proyectos actuales es extremadamente poderosa. En la medida en que domine las tareas y supere las expectativas, sin dudas le darán más responsabilidades, y como está concentrado en su visión a largo plazo, las obligaciones adicionales lo conducirán inevitablemente hacia sus sueños.

Por supuesto, los siete principios preliminares de la solvencia también lo ayudan directamente a invertir en usted mismo. Retribuirse a sí mismo es una inversión a futuro y concentrarse en la administración de su vida lo convierte en una persona afortunada. Vivir por sus propios medios, aceptar las sugerencias de las personas indicadas y prepararse con antelación en caso de emergencias son inversiones en su carácter, disciplina y fortaleza personal.

El acto de dar y servir constantemente generan una inversión en usted mismo que lo convierten en el tipo de persona que ayuda a mejorar el mundo. Usted quiere ser este tipo de persona porque su visión a largo plazo y sus sueños le importan realmente. Y la inversión en su ingreso pasivo con el tiempo lo convertirá en una persona con recursos para combinar sus talentos, habilidades y propósito de la vida, y le permitirá seguir haciendo el bien.

La mentalidad de un ganador

Todo esto se combina para ayudarlo a adoptar la mentalidad y los hábitos de un ganador. Parte del trabajo de invertir en usted mismo contará con la ayuda de otros. Invertir en usted mismo significa encontrar y escuchar realmente a excelentes mentores. Existen pocas cosas tan beneficiosas.

Además, cuando nade contra la corriente para construir algo importante, se enfrente a altibajos económicos, tome decisiones difíciles, soporte el rechazo y las críticas, y afronte otros desafíos similares, tendrá muchas oportunidades de renunciar.

Una de las mejores inversiones en usted mismo es optar por seguir trabajando, no dejar que nada se interponga en el camino hacia sus sueños, seguir intentando y negarse a renunciar. Esta es una inversión en materia de coraje y perseverancia, los cuales se necesitan para ser verdaderamente exitoso en cualquier campo.

Otra inversión importante en usted mismo proviene de vencer en las luchas internas, como la batalla entre quedarse en una situación "bastante cómoda" en lugar de avanzar un poco más e impulsarse hacia la excelencia. Todas las personas que quieren tener éxito en cualquier emprendimiento importante se enfrentan a este desafío, y cuando invierta en usted mismo eligiendo la excelencia (en lugar de quedarse con la mediocridad o solo un "buen" trabajo), se convertirá en el tipo de líder autosuficiente que siempre puede florecer.

Casi todas las personas exitosas también se enfrentan a impresionantes luchas internas como por ejemplo: "Pero no me gusta ese tipo de trabajo," y "No soy ese tipo de persona". En realidad estas son falacias porque puede llegar a gustarle el tipo de trabajo necesario para conseguir el éxito con el que sueña, y puede desarrollar las habilidades y actitudes para ser el tipo de persona que logra lo que desea.

Invertir en usted mismo significa superar todos estos desafíos sin perder el foco en sus sueños, y leyendo, pensado, aprendiendo, superándose y preparándose constantemente para más oportunidades y el éxito. Como Winston Churchill aconsejó: nunca, nunca, nunca renuncie.

Escriba su plan

A esta altura, ya conoce el ejercicio. Proponga ideas y redacte su plan para implementar los Principios 9 y 10. ¿Cómo puede destacarse de verdad, a un nivel totalmente nuevo, en sus responsabilidades actuales? Esto solo le generará aumentos.

Además de estudiar y aplicar los conceptos de este libro, enumere formas en las que puede invertir en usted mismo y convertirse en una persona mejorada. ¿Cómo puede invertir en su educación sobre liderazgo y experiencia? ¿En sus conocimientos económicos? ¿En sus habilidades, conocimiento y capacidades? ¿Cómo puede convertirse en un lector más ávido? ¿Qué mentores necesita? ¿Qué consejo de sus mentores actuales debe seguir más al pie de la letra?

¿Qué otras cosas puede hacer para invertir realmente en usted mismo?

Como siempre, escriba sus ideas y planes. Luego elija los mejores e impleméntelos de inmediato. Haga que su mejor inversión (en usted mismo) le genere ganancias a través de sus planes y acciones en los próximos meses. ¡Comience ahora mismo!

NUEVE

Que el dinero sea su esclavo, no su amo

"No fije sus metas según lo que otras personas consideren importante".
—EXTRAÍDO DE *EL PRÍNCIPE Y EL MENDIGO*

A J. Paul Getty alguna vez se lo consideró el hombre más rico pero en su funeral, las únicas personas que aparecieron fueron aquellas que esperaban estar en su testamento. Era rico pero su vida distaba mucho de la abundancia o riqueza. La Biblia dice: "¿Qué provecho sacaría el hombre si ganara todo el mundo y perdiera su alma?"[9]

Desde una vista a 30.000 pies, sus metas económicas no deben tratarse de conseguir ingresos altos sino de aumentar su riqueza ante Dios, la familia, el país y la sociedad. Esto significa obtener un verdadero dominio de su economía para convertirse en amo de su visión y de sus sueños.

Aprenda a hacer que el dinero sea su esclavo, no su amo. Esto comienza con el autodominio. Nunca comprometa sus principios, su moral ni sus responsabilidades ante la familia y sus seres queridos en la búsqueda de dinero. En síntesis, nunca sacrifique sus principios en favor de posesiones.

> Su prosperidad, su riqueza y sus privilegios no son, en última instancia, para su placer, sino en pos de su objetivo.

En verdad, su prosperidad, su riqueza y sus privilegios no son, en definitiva, para su placer, sino para su objetivo. Es fundamental tener esto en cuenta.

Los dichos modernos "Son solo negocios," "La percepción es la realidad," y "Todo sigue igual" por lo general disfrazan la realidad de que a veces se utiliza la ganancia como excusa para llevar a cabo acciones deshonestas. En verdad, si algo está mal, está mal, incluso si "son solo negocios".

La percepción no es la realidad. La realidad es la realidad, sin importar lo que afirmen los mercados. Y "todo sigue igual" no es excusa para perder su integridad. Si algo turbio es "lo que sigue igual," asegúrese de no tomar el camino *de siempre*. Tal vez ese camino no sea tan transitado pero es el camino hacia el verdadero éxito.

> **La percepción no es la realidad; la realidad lo es.**

Thoreau sugirió una vez que en una sociedad verdaderamente injusta, los únicos hombres justos estarían en prisión. Afortunadamente, nuestra sociedad nos permite influir con cambios positivos sin un resultado tan drástico pero sigue siendo de vital importancia luchar por la justicia y la libertad.

Alexsandr Solzhenitsyn les dijo a sus alumnos en Harvard que sin importar cuán malo había sido el comunismo soviético, los rusos tampoco deberían seguir el modelo estadounidense. Le explicó a una audiencia atónita que uno de los mayores problemas en los actuales Estados Unidos es que en gran parte de la comunidad empresarial, la pregunta más importante que guía las decisiones corporativas no es "¿Es correcto?". En cambio, les dijo, por lo general las grandes empresas solo preguntan "¿Es legal?"[10].

Dicha tendencia no presagia nada bueno para los Estados Unidos ni otras naciones avanzadas que siguen esta triste directiva. Pero usted puede ayudar a cambiar esto luchando por la integridad y los principios. Como se menciona anteriormente en este libro, el ejemplo lo es todo en materia de liderazgo.

NUNCA SACRIFIQUE SUS PRINCIPIOS POR DINERO NI POR POSESIONES. SEA HONESTO. CONSERVE SU INTEGRIDAD. MANTENGA EL ORDEN CORRECTO DE SUS PRIORIDADES.

Usted quiere ser ese tipo de líder que vive según los principios de la solvencia; convertirse en una persona exitosa, próspera y rica y cuyo funeral desborde de personas que comparten historias de cómo usted las ayudó, asesoró, bendijo e inspiró.

La historia de Ramón

En un funeral reciente, los hijos y nietos de Ramón pasaron horas escuchando historias sorprendentes sobre su padre y abuelo, contadas por personas que nunca habían visto. Escucharon muchos relatos sobre el dinero que había donado a diversas causas y personas necesitadas, y se preguntaban de dónde había sacado todo su dinero. A ellos nunca les había parecido demasiado rico, aunque les pagó la universidad y muchas cosas más para toda su gran familia.

Aun así, habían vivido como una familia de clase media normal, de modo que les resultaban extrañas todas las donaciones e inversiones para iniciar negocios de los que hablaban esas personas. Su padre había sido vendedor, y sabían que lo había hecho bien, pero el alcance de su generosidad les resultaba asombroso.

Pero la mejor parte llegó cuando escucharon sobre la semana que pasó de excursión con los niños exploradores y cómo sus palabras y ejemplos cambiaron la vida de un joven para siempre, y sobre la vez que una dama quedó varada en la autopista mientras conducía por la ciudad, y la única persona en la que pensó que vivía en la ciudad era un vendedor al que le había comprado cosas durante años. Lo llamó y él llegó a las tres de la mañana en medio de la nieve para dejarla a ella y a sus hijos en un hotel, remolcó su auto averiado y se lo devolvió al día siguiente totalmente reparado. Y no quiso recibir dinero por el hotel ni por las reparaciones.

La familia escuchó docenas de sucesos similares durante el transcurso del día: quedaron maravillados por el hombre que estaban enterrando. Sabían que había sido un padre cariñoso y atento, pero no tenían idea del gran propósito que había logrado en su vida.

Cuando conocieron, uno por uno, a todos los hombres y mujeres jóvenes que su padre había hecho ingresar en la universidad, de los hogares sin cobertura que reconstruyó anónimamente después de un incendio (sin decirle a nadie excepto a su esposa) y de la familia cuyo esposo y padre estaban en prisión y que, sorprendentemente, todos los meses recibía por correo un cheque que cubría todas sus necesidades, lloraron de emoción.

Compare esta historia con la del funeral de J. Paul Getty. Sin duda alguna, la verdadera solvencia significa alcanzar la riqueza y la abundancia para vivir su vida y bendecir a otros en lugar de solo ganar dinero y adquirir posesiones.

Cuando más tarde se le leyó el testamento de Ramón para la familia, la sorpresa creció cuando se distribuyeron tantas riquezas cuidadosamente. "¿Quién sabía?", se preguntaba la familia.

Los principios de solvencia son reales y funcionan. Conocerlos y aplicarlos le permitirá vivir su propósito y ayudar a muchos más.

Tres valores esenciales

Existen al menos tres valores claves en la ofensiva económica. El primero es **mantener su autonomía** (libertad para elegir su camino) tanto a nivel personal como en tanto parte de la sociedad. Si no tiene la libertad para evaluar sus opciones y determinar su propio rumbo, se verá limitado en su capacidad para aumentar su solvencia.

Una de las formas más evidentes en la que puede perder autonomía es través de las deudas. Otra es permitiendo que su nación les quite las libertades a sus ciudadanos. Y otra es ignorar los principios del éxito financiero, como no pagarse a sí mismo primero y ahorrar grandes montos de dinero con el tiempo.

Un segundo valor importante es **aferrarse a su propósito.** Esto significa conocer con claridad sus objetivos y sueños, evitar distracciones y asegurarse de hacer lo que verdaderamente importa. Stephen Covey enseñaba que si bien es importante la administración (hacer las cosas correctamente), el liderazgo (hacer las cosas correctas, en especial aquellas que lo acercan a su propósito) es aún más importante.

El tercer valor es **llegar a dominar** y superarse en lo que hace. En la solvencia, esto significa aplicar con excelencia las leyes económicas descritas en este libro y superarse en su trabajo. Por ejemplo, si tiene que trabajar dieciséis horas por día para mantener a su familia, está trabajando mucho o no ha alcanzado el dominio de su trabajo. Por lo general se requieren alrededor de 10.000 horas para especializarse en una tarea, de modo que esté dispuesto a trabajar muy duro al principio para lograr ese dominio. La mayoría de las personas no siguen este camino, prefieren dedicar alrededor de 5.000 horas intentando lograr el dominio de una sola cosa antes de lograr cambiar a otra durante 2.000 o 3.000 horas.[11]

La mejor forma es dedicar tiempo a especializarse en una cosa y luego ampliar el dominio mientras desarrolla un ingreso del tipo tubería que financie su propósito, su visión y su sueño.

Si luego decide dominar algo más, dedíquele 10.000 horas y luego tómese el tiempo para aplicar lo que ha aprendido. En esos casos, combine sus múltiples especialidades para influir en el mundo de manera única, siempre con un ojo en su cometido y visión.

DEDÍQUESE A ESPECIALIZARSE EN LO QUE HACE (LLEVA ALREDEDOR DE 10.000 HORAS).

Este es el máximo nivel de inversión en usted mismo, y es el camino natural hacia la solvencia.

El éxito no es tan fácil como los ganadores hacen que parezca porque una vez que dedicaron las 10.000 horas, no parecería que están haciendo tanto por la retribución que reciben. Pero tampoco es tan difícil como los perdedores hacen que parezca porque no hacen nada o renuncian después de hacer de 2.000 a 5.000 horas de trabajo intenso en lugar de resistir hasta haber dominado su tarea.

Como lo explica el líder de negocios Tim Marks: "Donde sea que usted vaya, allí estará." ¡Sus sabias palabras son exactamente ciertas! Usted mismo es su nivel de solvencia, al igual que es su nivel de aptitud física. Vivir según los principios del éxito económico en este libro lo ayudará a aumentar su nivel de solvencia.

> **El éxito no es tan fácil de conseguir como los ganadores hacen que se vea, pero tampoco es tan difícil como los perdedores lo hacen parecer.**

Entrar en acción

Elabore un plan por escrito para implementar los principios cubiertos en este capítulo. Enumere sus prioridades y compromisos y recuérdese nunca dejarlos de lado. Su aprendizaje es tan bueno como los cambios reales y duraderos que implemente. Haga que el dinero sea su esclavo y dedique tiempo a obtener el dominio de lo que hace.

DIEZ

El poder de los multiplicadores

"En una avalancha, ningún copo de nieve se siente responsable".
—Voltaire

Para este momento, ha podido percibir cómo funciona. Este libro incluye los principios de la solvencia, enseñados por mentores que los han aplicado, lograron prosperidad y riqueza y vivieron sus sueños a lo grande.

Cada vez que aprenda un principio, aplíquelo a su vida, a su cometido y planifique (por escrito) cómo ponerlo en acción de manera efectiva. Luego, hágalo.

Este es el esquema de la solvencia y si aplicó los principios descritos hasta ahora en este libro, está entrando en forma económica y comenzando a ver el camino real para vivir verdaderamente sus sueños. De hecho, si presta atención, verá que ha comenzado a revertir el impulso económico negativo de su vida y empezó a ganar impulso en pos de un futuro económico próspero.

Esto se debe a que la economía es como los copos de nieve. Raramente uno de ellos cause una avalancha o influya sobre el mundo de manera significativa. En verdad, un copo de nieve no tiene mucha importancia. Pero muchos copos de nieve pueden generar una avalancha.

Asimismo, una mala elección económica no lo puede arruinar, pero podría comenzar un patrón de decisiones que sí podrían llevarlo a la ruina. Y una buena elección económica naturalmente lleva a otra y así sucesivamente. El impulso consta de una enorme cantidad de energía y poder, entonces aprenda a direccionar y mantener su impulso económico hacia el rumbo indicado aplicando cada principio de este libro.

El poder de acumular

Albert Einstein dijo que el interés compuesto es la octava maravilla del mundo. Aquellos que lo entienden, lo recaudan, mientras que aquellos que no lo hacen, lo pagan (como asegura el antiguo dicho).

Acumular es importante en otras formas además de pagar interés. *El uso de multiplicadores para aumentar su riqueza es el centro de la estrategia económica, mientras que la eliminación de multiplicadores de gastos y deudas es la clave de las técnicas económicas defensivas.*

Pregúntese: ¿Es usted un multiplicador o multiplica la riqueza de otra persona (su banco y compañías de tarjetas de crédito, por ejemplo)? ¿Le interesa trabajar en su propio beneficio o en contra? ¿Esta mañana se despertó en una peor situación económica que ayer o más cerca de la riqueza?

> **Albert Einstein dijo que el interés compuesto es la octava maravilla del mundo.**

Estas no son preguntas difíciles de responder. Tiene el dinero para realizar una compra o no lo tiene. Está embarazada o no lo está. Usted avanza en la dirección económica correcta o en dirección contraria.

> **¿Le interesa trabajar en su beneficio o en su contra?**

Más adelante seguiremos hablando sobre pagar interés, pero por ahora, concentrémonos en qué está multiplicando en su vida.

Primero, ¿se encuentra atrapado en el hábito de decir "Sí" a posibles compras? La mayoría de las personas lo está. La primera pregunta que hacen es: "¿Podemos pagarlo?".

Por el contrario, las personas solventes se hacen diferentes preguntas: "¿*Realmente* queremos esto? ¿Servirá a nuestro objetivo y sueño? ¿*Cómo* lo hará? ¿De qué formas puede ser una distracción? ¿Costará más dinero mantenerlo o sustentarlo (mediante gastos, como seguro o tarifas anuales)?"

Aunque respondan "Sí" a todas las preguntas, pasarán a preguntarse: "¿Acaso ahorrar o invertir esta misma cantidad servirá más a nuestro propósito y visión? ¿Es *este* es el mejor momento para realizar esta compra, o será menos costoso o solo mejor para nuestra familia o negocio hacerla más adelante?".

LAS PERSONAS SOLVENTES NO SE PREGUNTAN: «¿NOS PODEMOS DAR EL LUJO?», SINO QUE SE CUESTIONAN: «¿*REALMENTE* QUEREMOS ESTO? ¿SERVIRÁ A NUESTRO OBJETIVO Y SUEÑO? ¿*CÓMO* LO HARÁ? ¿DE QUÉ MANERAS PODRÍA SER UNA DISTRACCIÓN? ¿COSTARÁ MÁS DINERO MANTENERLO O SOSTENERLO (MEDIANTE COSAS COMO SEGURO O TARIFAS ANUALES)? ¿QUÉ SERVIRÍA MÁS A NUESTRO OBJETIVO Y A NUESTRA VISIÓN, AHORRAR O INVERTIR UN MISMO MONTO ? ¿ES *ESTE* EL MEJOR MOMENTO PARA REALIZAR ESTA COMPRA O SERÍA MENOS COSTOSO, O SIMPLEMENTE MEJOR, PARA NUESTRA FAMILIA O NEGOCIO EFECTUARLA DESPUÉS?». LAS PERSONAS SOLVENTES DESARROLLAN EL HÁBITO DE NEGARSE A LAS COMPRAS, AUN CUANDO PUEDEN PAGARLAS SIN PROBLEMA, Y DE USAR GRAN PARTE DE SU DINERO COMO AHORROS O INVERSIONES.

Dos tipos de multiplicadores

Tenga en cuenta que las personas que por lo general se hacen estas preguntas pueden pagar la compra sin problemas. En realidad, existen dos tipos de grandes multiplicadores en las elecciones económicas: 1. el multiplicador de gastos 2. el multiplicador de inversiones. Las personas que fueron criadas según la perspectiva del gasto han aprendido el siguiente esquema:

- Ven algo que quieren.
- Se preguntan si pueden pagarlo.
- Si no es así, deciden si se endeudan para comprarlo O ahorran y lo compran más adelante.
- Si pueden pagarlo, deciden comprarlo.

(Tenga en cuenta que las tres opciones giran en torno a la compra).

Este es el multiplicador de gastos, y aquellos que tienen este hábito por lo general están presos de sus problemas económicos porque cada compra multiplica la probabilidad de repetir el patrón.

El multiplicador de inversiones sigue un modelo diferente:

- Ven algo que quieren.
- Se preguntan si ahorrar o invertir el dinero, en lugar de comprar algo, servirá a sus metas a largo plazo más que poseer el artículo.
- Si la respuesta es "Sí," dicen "No" a la compra aunque puedan pagarla (incluso aunque puedan pagarlo con facilidad).
- Si la respuesta es que el artículo servirá a sus metas a largo plazo más que si no lo compran, lo piensan durante veinticuatro horas o más. También hacen su tarea: ¿Pueden encontrarlo a un precio menor en una tienda diferente o durante una próxima oferta? ¿Pueden obtener un descuento al entablar una relación con el propietario o distribuidor? ¿Pueden encontrar otra cosa que sea incluso mejor? ¿Pueden cubrir

la necesidad que están tratando de satisfacer de una mejor manera, ya sea más o menos costosa?

Ambos multiplicadores crean hábitos e impulsos económicos, especialmente con el tiempo, y por lo general estos hábitos se transmiten de padres a hijos.

El multiplicador de gastos lleva a aumentar los problemas económicos ya que las personas actúan apresuradamente y toman decisiones basadas en sentimientos de escasez y ansiedad. Por el contrario, los que usan el multiplicador de inversión creen que lo rápido genera gastos, se concentran en gastar en calidad y valor reales, terminan adquiriendo artículos que valen mucho más de lo que los "gastadores" tienden a poseer, y amasan una riqueza real.

De hecho, quienes utilizan el multiplicador de inversión rutinariamente terminan siendo dueños de muchos bienes, cosas que en realidad les generan más ingresos, mientras que aquellos adictos a multiplicar gastos terminan con muchas "cosas" gastadas, usadas y rotas en sus garajes.

> «Si no estamos seguros, la respuesta es "no"».
> «Si estamos seguros, esperemos y veamos qué pasa».
> **Orrin Woodward**

Cuando Orrin y Laurie Woodward decidieron comprar la casa de sus sueños, sabían lo importante que era usar el enfoque de multiplicación de inversiones. Al ver muchas casas y propiedades posibles, Orrin seguía repitiendo frases clave como:

"El enemigo de lo excepcional es lo bueno, así que no queremos un buen hogar; queremos un hogar verdaderamente excepcional".

"En el apuro, se despilfarra. Vayamos despacio, encontremos la casa perfecta y concentrémonos solamente en la casa de nuestros sueños".

"Si no estamos seguros, la respuesta es 'No'. Esperemos hasta que estemos totalmente seguros".

"Si estamos seguros, esperemos y veamos qué pasa. Asegurémonos de que no aparezca algo mejor".

«En el apuro, se despilfarra».
Orrin Woodward

Cuando finalmente realizaron la compra, estaban muy seguros de que era la elección perfecta.

Un hábito de sabiduría

Como los copos de nieve, las decisiones económicas se multiplican en hábitos y los hábitos determinan el destino porque funcionan con piloto automático en la vida cotidiana. Crean impulsos extraordinarios.

Por lo tanto, una de las inversiones más importantes en usted mismo es analizar cuidadosamente y elegir con conocimiento sus hábitos. Rechace los que no le sirven y cultive los que concuerdan con su objetivo de vida y le aportan lo que realmente quiere.

Tómese tiempo para escribir sobre sus hábitos. Genere ideas e intente ser meticuloso. Marque con una cruz los hábitos que quiere destruir y con un círculo los que desea profundizar o fortalecer.

Rechace los hábitos que no le sirven y cultive los que concuerdan con su objetivo de vida y le traen lo que realmente quiere.

Luego realice un plan sobre cómo cambiar sus hábitos de la manera apropiada. Esto tiene un impacto directo sobre su capacidad financiera y también se aplica a su vida en general.

Preste especial atención a si tiene

el hábito de multiplicar gastos o multiplicar inversiones y otros bienes inteligentes. Haga de la sabiduría un hábito para que coincida con sus otros mejores hábitos.

Hágase el hábito de decir "No" a posibles compras aun cuando pueda pagarlas fácilmente. Créese el hábito de evaluar cada posible gasto usando las preguntas del multiplicador de inversión.

Esto no significa que no pueda divertirse. La clave, al convertirse en una persona más solvente, es agregar la categoría "Diversión" o incluso "Espontaneidad" a su presupuesto. Permítase gastar pequeñas cantidades de dinero solo por diversión o en broma, pero manténgalo dentro de los límites de su presupuesto. Y al realizar una compra importante siga la Regla de 24 horas ya comentada.

LAS PERSONAS SOLVENTES ANALIZAN SUS MOVIMIENTOS — TANTO DE VIDA COMO ECONÓMICOS— Y TRABAJAN PARA ROMPER CON LOS MALOS HÁBITOS Y PROFUNDIZAR LOS BUENOS. CONSIDERAN Y ELIGEN LOS HÁBITOS QUE QUIEREN Y NECESITAN PARA LOGRAR EL SUEÑO DE SU VIDA.

Si no está seguro, la respuesta es «no»

Otro principio importante de la solvencia es crearse el hábito de la gratificación diferida. A los vendedores se les enseña que las personas toman decisiones a nivel emocional y luego las racionalizan usando la lógica. Lo que debemos hacer es precisamente lo contrario. Aprenda a tomar decisiones luego de realmente pensarlas, y disfrute de sus buenas decisiones a nivel emocional más tarde. Ponga en práctica la gratificación diferida.

El general Robert E. Lee le dio una de las lecciones más importantes sobre el éxito en la economía y en la vida cuando le ordenó a su oficial que le enseñara a un joven soldado a negarse. Enséñense la importancia de decir "No."

Inicie una revolución económica en sus finanzas personales

En *Fiesta*, Ernest Hemingway escribió: "¿Cómo terminaste en quiebra?" La respuesta es profunda: "Gradualmente; luego de repente".

Esto se aplica a muchas cosas de la vida, en especial a nuestra economía. La acumulación de copos de nieve puede claramente redundar en una gran cantidad de nieve pero hasta que comienza la avalancha casi nadie nota cuánta nieve se ha juntado. La proverbial "gota que colma el vaso" es pequeña, liviana y casi pasa desapercibida, pero el vaso se colma porque las personas se acostumbran a ver más y más gotas de agua acumuladas en el vaso y no se dan cuenta de que pronto desbordará.

El momento para concentrarse en su capacidad financiera es ahora, no después de que la nieve (o las gotas) se haya acumulado.

Siéntese y escriba su plan para aplicar los principios de este capítulo en su vida. Luego llévelos a cabo y cúmplalos. Es momento de estar en buenas condiciones económicas. Consígalo empezando ahora mismo.

ONCE

Dos grandes claves económicas: hábitos de gasto e ingreso pasivo

«Las mascotas gratis no existen»
-BRIAN P. CLEARY

En su exitoso libro *El millonario de al lado,* Thomas Stanlet y William Danko investigaron las tendencias y estadísticas financieras y económicas actuales de los Estados Unidos de América, y descubrieron varios patrones interesantes.

Hábitos de gasto de los cónyuges

Los autores descubrieron que la influencia principal sobre si una pareja se vuelve millonaria o no son los hábitos de gasto de la esposa. Aunque esto parece oponerse al feminismo moderno, las estadísticas llevaron a esta conclusión. Por supuesto, los malos hábitos de consumo pueden constituir un problema para cualquiera de los cónyuges, o ambos.

Una vez, Chris Brady observó cómo una pareja presupuestaba y planificaba sus gastos, y se pasaba horas recortando cupones para ahorrar dinero. Una noche, el marido llegó a la casa con una nueva y divertida gran adquisición. Ahorrar algunos dólares en comida no es de gran ayuda si decidimos que necesitamos un nuevo televisor y todos sus accesorios esta semana.

Imaginemos lo desmoralizante que debe de haber sido esta situación para la esposa. ¿Cuán probable es que ella siga ahorrando centavos en las verdaderas necesidades de la familia?

Lo cierto es que las compras espontáneas pueden sembrar el caos en un presupuesto, sin importar el género de la persona. Sin embargo, la investigación de Stanley y Danko fue concluyente: en la mayoría de los casos, los hábitos de gasto de la esposa eran el indicador principal de la riqueza futura (o de la falta de ella).

> **La influencia principal con respecto a si una pareja se convierte en millonaria o no son los hábitos de compra de la esposa.**

Por supuesto, tener buenos hábitos de gasto, por parte de *todos los integrantes de la familia*, es esencial para una buena solvencia. Todos los que deseen tener un buen pasar deben tomar los principios del éxito económico y transformarlos en hábitos, a fin de que se conviertan en una parte automática de sus vidas.

Ingreso activo y pasivo

Además de hábitos de gasto criteriosos, otra clave de la solvencia es el *ingreso pasivo*. Los investigadores Stanley y Danko determinaron que la mayoría de los millonarios son, a los ojos de sus vecinos, personas normales, y amasan su fortuna por medio de la iniciativa empresarial, y no a partir de trabajos extravagantes.

Quienes emprenden un negocio, incluso como tarea secundaria, y lo desarrollen a lo largo del tiempo, tienen muchas más probabilidades de volverse ricos que otros. Puede aplicar todos los otros principios en este libro y acumular riquezas con el paso del tiempo, pero los que lo aplican en su propio negocio para desarrollar una fuente de ingreso pasivo pueden lograrlo con mucha mayor rapidez.

SEA DUEÑO DE SU PROPIO NEGOCIO, AUN SI SOLO COMIENZA TRABAJANDO EN ÉL MEDIO TIEMPO. PUEDE APLICAR TODOS LOS OTROS PRINCIPIOS DE ESTE LIBRO Y ACUMULAR RIQUEZAS CON EL PASO DEL TIEMPO, PERO QUIENES LO APLICAN EN SU PROPIO NEGOCIO PUEDEN LOGRARLO CON MUCHA MAYOR RAPIDEZ.

En nuestra sociedad moderna, se les suele enseñar a los jóvenes que deben obtener buenas calificaciones en la escuela, luego ir a la universidad o equivalente, y por último obtener el mejor empleo posible. Hoy en día, la mayoría sigue este camino.

Pero el trabajo, por definición, brinda un ingreso activo a cambio de una labor, y el ingreso activo no es tan bueno como el pasivo. Robert Kiyosaki explica, en su libro *El cuadrante del flujo de dinero* que existen cuatro maneras de ganar dinero: 1. obtener dinero de forma directa por ser empleado, 2. trabajar de forma independiente o ser dueño de una pequeña empresa y obtener dinero por los servicios prestados, 3. ser dueño de una empresa más grande y obtener el dinero de sus ganancias, o 4. invertir en empresas y obtener una ganancia de la inversión inicial.

Señaló que quienes son realmente adinerados en la sociedad suelen ser empresarios e inversionistas (los puntos 3 y 4 mencionados anteriormente) y la idea de que los empleos son la base del éxito económico a largo plazo es, en realidad, un mito. Por supuesto, si necesita dinero y no puede obtenerlo de ninguna de estas formas, obtener un empleo es una mejor opción que pasar hambre o depender de la ayuda estatal.

Pero es más probable que los inversionistas, empresarios, trabajadores independientes o dueños de pequeñas empresas sean más prósperos que aquellos que ocupan la mayoría de los puestos de trabajo en el mundo. Esto es especialmente cierto para quienes desean alcanzar el aumento ilimitado de sus ingresos.

Asimismo, incluso quienes trabajan de forma independiente o son dueños de pequeñas empresas deben ir a trabajar para obtener dinero, mientras que los empresarios e inversionistas logran lo mismo aun si no van a trabajar. El ingreso pasivo o residual («construir tuberías») genera ganancias sin importar qué haga durante el día. En cambio, el ingreso activo o lineal («cargar baldes») genera ganancias a cambio de trabajo.

Uno de los principios fundamentales de la solvencia es aumentar el ingreso pasivo, aun si continúa trabajando para obtener una fuente principal de ingreso activo.

AUMENTE SU INGRESO PASIVO HASTA QUE OCURRA LO SIGUIENTE:
1. LA MAYOR PARTE DE SU INGRESO SEA PASIVO, Y
2. PUEDA VIVIR DE SU INGRESO PASIVO.

Por supueso, si actualmente tiene un empleo, no renuncie a él hasta que el ingreso pasivo haya superado el activo (y haya buscado asesoría profesional, cancelado sus deudas, hecho la planificación correcta y demás). Como mencionamos antes, puede continuar trabajando para su empleador «cargando baldes», pero también es útil construir su propia «tubería» de ingreso pasivo.

Por ejemplo, cuando Dan y Lisa Hawkins comenzaron a desarrollar su empresa, el dinero obtenido de sus empleos diarios, en suma, alcanzaba los $50.000 por año. Una de las cosas más importantes que hicieron fue aplicar los principios explicados en el *Pack de Solvencia* para eliminar todo gasto innecesario. Por ejemplo, Dan gastaba $8 a $10 por día en máquinas expendedoras de bebidas y refrigerios, además de otros $5 a $10 adicionales en el almuerzo. Pronto redujo estos gastos, y comenzó a llevarse el almuerzo de su casa y a limitar el consumo de refrescos en el trabajo. La familia Hawkins también canceló su suscripción a la televisión por cable y comenzó a leer más, dejó de gastar en cine y restaurantes e invirtió el dinero en material de capacitación empresarial. Se concentraron fuertemente en eliminar la deuda de consumo. Dan y Lisa cancelaron toda la deuda que tenían con una tarjeta de crédito y luego con otra, y pasados un par de años, suprimieron dos préstamos para automóvil, varios saldos de tarjetas de crédito, un préstamo para un vehículo todo terreno, un préstamo para una computadora, préstamos estudiantiles, y finalmente la hipoteca.

Al poner en práctica la gratificación a futuro, vendieron un automóvil nuevo y conservaron uno más antiguo, a fin de eliminar uno de sus préstamos de automóvil. Cualquier ingreso adicional de su negocio se destinaba directamente a cancelar deudas.

Una vez que el proceso estuvo en marcha, las victorias logradas facilitaron los resultados exitosos futuros. No es sorprendente que, gracias a un disciplinado enfoque económico, la familia Hawkins finalmente acumulara miles de dólares en ahorros. A medida que el ingreso de la empresa seguía aumentando y se eliminaba toda deuda, sus ahorros crecieron con rapidez. Esto les dio libertad para comprarse una casa tres veces más grande que la anterior con un abultado pago inicial.

A eso le siguieron automóviles nuevos y mejores vacaciones mientras llevaban un estilo de vida en el que solo gastaban el dinero que ya habían ganado. Aun así, seguían ahorrando parte de sus ingresos. Increíblemente, al aumentar la disciplina de su economía y sus negocios, la familia Hawkins logró adquirir una casa de diseño de 790 m² en un terreno de más de 8 hectáreas, y pagaron casi el 50% de su valor al momento de la compra. Los sueños se hacen realidad para aquellos que leen, escuchan, aprenden y aplican los eternos principios de la solvencia.

Propiedad de un negocio e impuestos

Otra ventaja fundamental de ser dueño de una empresa es que el gobierno, en un esfuerzo por generar crecimiento económico, permite a los dueños deducir gastos antes de pagar impuestos, mientras que los empleados deben pagar impuestos por cada dólar que ganan. Este plan tributario está disponible ya sea para una empresa que usted administra a tiempo completo, medio tiempo o incluso en sus ratos libres desde su hogar, siempre que exista una «esperanza de ganancia» honesta, que significa que su deseo de obtener ganancias es verdadero. Dado el drástico impacto que tiene sobre su economía el hecho de utilizar el código impositivo para empresas, un abogado muy exitoso que solía representar el Internal Revenue System (Sistema de impuestos internos) de Estados Unidos decía «Habría que ser descerebrado para no tener una empresa».

En los Estados Unidos existe un día llamado «día del contribuyente», que es el día hasta el que la persona media debe trabajar para poder ganar lo suficiente para cubrir los impuestos federales, estatales, de seguro social y médico del año. Para 2013, ese día es el 19 de abril para alguien que se encuentre en el rango medio de ingresos. Los que tienen ingresos más altos deben trabajar aún más para poder ver los frutos de su trabajo. Además, la mayoría de los estadounidenses destina entre un 30% y un 40% de sus ingresos a financiar sus deudas. Así es que la persona media paga un mínimo de entre el 58% y el 70% de sus ingresos brutos en impuestos y deudas. ¡No hay dudas de que parece imposible salir adelante!

Si nos ofrecen la opción de recibir un aumento de $17.000 en nuestro ingreso anual, o una exención impositiva de $10.000 al año, ¿cuál sería más rentable? La exención impositiva es la mejor opción, porque después de pagar impuestos federales, estatales, de seguro social y salud sobre su aumento, éste sería menor a $10.000.

Aquí presentamos otro ejemplo poderoso del valor de encontrar todas las exenciones impositivas legales disponibles. Si comenzamos con un dólar y nuestro dinero se duplica todos los años, ¿cuánto tardaríamos en volvernos millonarios? La respuesta es veinte años. ¿Pero qué sucede en esta misma situación si se deben pagar impuestos sobre la renta? Supongamos que se debe pagar «sólo» el 35%, que es una aproximación bastante razonable si se tienen en cuenta los impuestos federales, estatales (o provinciales en Canadá), de ventas, de ganancias capitales y sobre bienes específicos. En los mismos veinte años, a medida que los dólares se duplican y que pagamos un impuesto del 35% sobre el incremento, el monto total solo alcanzará $27.370.

Año	Libre de impuestos	Con impuestos (35%)
1	$2	$1,65
5	$32	$12,23
10	$1.024	$149,57
15	$32.768	$1.829,19
20	$1.048.576	$27.370

Veamos un ejemplo que demuestra la diferencia entre percibir un ingreso adicional de un negocio y lo que hace la mayoría de las parejas cuando atraviesan tiempos difíciles. John y Sally están casados y tienen dos hijos. John gana $40.000 al año. Con este salario solo tenían problemas para pagar las cuentas todos los meses, así que Sally debió salir a trabajar y comenzó ganando $20.000 al año. Con este aumento del 50% en los ingresos familiares, no podían entender por qué subsistir aún les costaba tanto como antes. Veamos por qué ese empleo no fue de mucha ayuda.

Según las tasas impositivas de 2013, el trabajo de Sally generaba nuevos impuestos federales y estatales a las ganancias por $4.845 e impuestos de seguro social por $1.530. Ella conducía 16 km por día ida y vuelta, cinco días a la semana, cincuenta semanas al año, que en total sumaban $1.430 en gastos de viáticos (valuados según el IRS en $0,55 por kilómetro). Gastaba en almuerzos un promedio de $7 al día, cinco días a la semana, cincuenta semanas al año; lo que daba un total de $1.750. Ella tuvo que comprar ropa de oficina, que debía llevar a la tintorería, y esto ascendía a $1.200 al año. Y ya que tanto John como Sally estaban trabajando, ninguno quería hacer la cena al volver a casa, por lo que comenzaron a comer afuera más seguido. Así, se agregaron $2.000 al año en alimentos. También tuvieron que contratar los servicios de una guardería, que costaba $125 por semana y sumaba, en total, $6.200 al año. ¡Después de todos estos gastos, a la pareja sólo le quedaban $985 al año! Si John y Sally hubiesen tomado el dinero que gastaban en el trabajo de Sally y lo hubieran invertido en una empresa en lugar de un empleo, la mayoría de lo gastado, o todo, podría haberse deducido de sus impuestos como gastos comerciales, lo que habría aumentado la cantidad de dinero capitalizado.

Por supuesto, no creemos que se deba establecer una empresa por el solo hecho de obtener deducciones tributarias, pero la mayoría de los empleados desconocen cuáles son los beneficios impositivos que existen si se es dueño de una empresa. Tenga esto en cuenta mientras investiga las opciones de negocios posibles.

Haga su camino sin pagar

El objetivo es lograr alejarnos de «cargar baldes» y trabajar en pos de obtener un ingreso activo construyendo una «tubería» de ingreso pasivo y desarrollarla a través del tiempo. El primer paso es llegar a un punto en el que se cuenta con un ingreso pasivo suficiente como para que uno de los miembros de la pareja pueda quedarse en casa, y luego para que ambos puedan hacerlo y enfocarse en «construir las tuberías».

Esto se llama «ganarse el camino de salida» de lo que Kiyosaki denomina la «rutina». Trabajar para otros puede resultar, para mucha gente, una rutina. Es difícil vivir al día. Pero esto puede modificarse aplicando simplemente los principios de la solvencia explicados en este libro, empezando por los aspectos básicos.

Por lo menos, aumentar el ingreso pasivo puede significar un ingreso adicional a su salario. Si siente que debe continuar con su trabajo actual, u otra carrera profesional, generar ingresos pasivos adicionales puede resultarle igualmente muy beneficioso y brindarle una experiencia invaluable y la seguridad de una fuente de ingresos adicional.

Si en este momento no tiene idea de cómo comenzar a generar ingresos pasivos, no se preocupe. Explicaremos esta cuestión más adelante. Sólo tenga en cuenta que generar ingresos pasivos debería estar entre sus posibilidades como una estrategia fundamental para alcanzar la solvencia y, en algún momento, la riqueza.

Jubilación

Con respecto a las ganancias, la jubilación no debe ser una cuestión de edad, sino una función del ingreso pasivo. Muchas personas definen la jubilación en forma incorrecta. La idea es ahorrar e invertir para poder jubilarse de las cosas que no son parte de su objetivo, y no del trabajo productivo.

LA JUBILACIÓN NO DEBE SER UNA CUESTIÓN DE EDAD, SINO QUE DEBE BASARSE EN CONTAR CON SUFICIENTE INGRESO PASIVO PARA MANTENERSE DE POR VIDA. LA JUBILACIÓN IMPLICA APARTARSE DE LAS COSAS QUE NO SON PARTE DE SU OBJETIVO PARA QUE PUEDA CONCENTRARSE EN EL TRABAJO FRUCTÍFERO DE SU MISIÓN DE VIDA.

Cuando contamos con un ingreso pasivo suficiente para vivir de por vida, podemos jubilarnos y enfocarnos en propósitos mayores. Esto lleva la planificación del retiro a otro nivel.

Ejercicio

Escriba la diferencia entre ingreso *activo* y *pasivo* con sus propias palabras. Luego, escriba todas las fuentes de ingreso y clasifíquelas. ¿Necesita comenzar a generar ingresos pasivos, incrementar los actuales, o ambas cosas?

DOCE:

Deje de perseguir el dinero y persiga su objetivo

«¿Qué haría si no tuviera miedo? Cuando le ponga alas a esa respuesta, habrá encontrado el propósito de su vida.»
—SHANNON ALDER

¿Durante cuántos días podría mantener su estilo de vida actual si dejara de trabajar? Tómese unos minutos, analice sus gastos y responda la pregunta.

Cualquiera sea la respuesta, esta es una forma de medir su solvencia actual.

Ahora, analice cuánto tiempo tardaría en adquirir la solvencia necesaria para vivir como sueña con los niveles de ingreso y gastos existentes. Esto es muy importante, así que tómese su tiempo. Primero, escriba las cinco cosas más importantes que necesita para cumplir su sueño. Después, determine y anote cuánto costaría cada una de estas cosas. Luego, determine cuánto ahorra por año y calcule cuántos años necesitará, a esa tasa de ahorro, para obtener lo suficiente como para cubrir las cinco prioridades de su vida soñada. Esto indica cuán probable es su sueño si no modifica nada en su estilo de vida actual.

Para muchos, pagar por los sueños al nivel actual de ahorros les tomaría el resto de sus vidas, y otros directamente no lo lograrían, a menos que algo cambiara. Analizar sus sueños, costos y ahorros existentes puede ser desmoralizante en extremo para la mayoría. Esto es así porque muchos buscan el dinero y esperan -sin ninguna evidencia- que de alguna forma sus sueños se materialicen. Pero como el ejemplo de los diez millones de dólares heredados de un pariente mencionado anteriormente, este suele no ser el caso. Pero no deje que esto lo desanime. Solo reconozca que quiere alcanzar sus sueños, que esto conllevará un costo, y que necesita incrementar su solvencia para poder obtener lo que desea.

No le pedimos que haga este ejercicio para que se sienta abrumado o decepcionado; de hecho, queremos todo lo contrario. Pero ser honesto con respecto a su situación económica es un paso importante para adquirir solvencia.

Queremos que tenga en claro cuánto costarán sus sueños, aproximadamente, y una clara imagen de dónde se encuentra ahora. Con estos dos elementos en mente, puede identificar qué tipo de ajustes debe realizar. ¿Necesita un cambio de $10.000 por año, o más bien uno de $100.000 al año?

Tal vez sus sueños requieran un cambio de un millón de dólares al año.

Piense en su propio negocio

Tal vez este ejercicio le dé la sensación de que nunca cumplirá sus sueños. O tal vez, si ha estado aplicando los principios de solvencia y viene cumpliendo las recomendaciones mientras lee este libro, puede encontrar que está más cerca de lo que pensaba. De cualquier manera, es probable que fijar el precio de sus sueños y compararlo con su poder adquisitivo actual lo lleve a sacar dos importantes conclusiones:

1. El camino hacia sus sueños es construir su empresa (emprendimiento) o adoptar una perspectiva de propiedad real en su trabajo (intraemprendimiento).

2. Cuanto antes se entusiasme y construya su «tubería» hacia el éxito, más pronto podrá cumplir sus sueños.

126

En este capítulo, hablaremos de la riqueza. No la riqueza asociada a sentarse, relajarse y nunca más trabajar (aunque esto podría ocurrir si logra sus objetivos), sino la que le permite gestionar y tener un cometido en la vida. Este tipo de riqueza no suele provenir de un empleo; casi siempre es el resultado de crear su propia empresa.

Tres claves para la riqueza

Robert Kiyosaki afirma que hay tres claves para la riqueza: 1. la visión a largo plazo, 2. la gratificación a futuro, y 3. el poder de cálculo. Ya hemos tratado todo esto, pero debemos profundizarlo porque es muy importante.

Como ha leído hasta ahora, probablemente notó que tendemos a asociar todos los principios, de alguna manera, con su visión, misión, cometido o sueño en la vida. Esto es así porque la primera clave de la riqueza se encuentra en que todo trabaje para lograr su objetivo en la vida.

Ya escribió su visión de la vida, y cada plan que haga (después de aprender los principios de solvencia) debería estar conectado, de alguna manera, con ese objetivo final. Cada decisión económica que tome deberá ser un paso más en dirección a su sueño.

> **La primera clave de la riqueza está en hacer que todo funcione en pos de su objetivo de vida.**

Por ejemplo, si su visión a largo plazo no es clara y obtiene una suma de dinero no esperado, por ejemplo, $5.000, desaparecerá muy rápidamente, ya que estará tentado de multiplicar los gastos en lugar del multiplicar las inversiones. Un tonto y su dinero pronto se separan, como predijo Benjamin Franklin. En la realidad, el 93% de las personas que ganan la lotería pierden el dinero muy rápido.

Por otro lado, si tiene una visión de vida y un plan económico claros, pensará en las mejores formas de «construir su tubería» y avanzar hacia su sueño, y los $5.000 le permitirán dar un gran salto hacia adelante.

Como mínimo, si sigue los principios de la solvencia, contará con unos $500 adicionales, cuando ahorre el 10% de los $5.000 invirtiendo en usted mismo. Y el dinero adicional le brindará un progreso real hacia el propósito de su vida.

Dar impulso

No está mal que, al enfrentarnos a adversidades económicas, a veces nos sintamos derrotados. Simplemente no está bien quedarse así. Al identificar y escribir su cometido de forma clara, leerlo a la mañana y a la noche y tenerlo siempre presente, y tomando decisiones económicas pequeñas con su sueño en mente, ya habrá desarrollado hábitos importantes que lo ayudarán a alcanzar el éxito.

> **No está mal que, a veces, nos sintamos derrotados. Simplemente no está bien permanecer así.**

Aquí presentamos algunas sugerencias más para aumentar su impulso en pos de su visión.

Primero, como explicó Stephen Covey en *Los 7 hábitos de la gente altamente efectiva*, comience con el objetivo en mente. ¿Cuánto dinero necesita para ser libre (es decir, para que su ingreso pasivo baste para vivir mientras puede dedicarse a tiempo completo a construir su empresa y lograr su objetivo)? Usted debe conocer este número.

En segundo lugar, no caiga en la trampa de desear tanto dinero como sea posible. La idea no es pasar toda su vida trabajando para obtener dinero. Se trata de esforzarse para lograr su sueño, y debe contar con los recursos necesarios para hacer realidad su visión.

En tercer lugar, mantenga el interés por aprender, especialmente cómo aplicar los principios de la solvencia.

128

En cuarto lugar, construya su empresa en torno a su conocimiento, y aumente la especialidad de su empresa. Muchos cometen el error de ganar conocimientos en un aspecto y creer que luego podrán ser aplicados al resto de las áreas. Es así como invierten dinero en cosas que no entienden y lo pierden.

Por ejemplo, Mark Twain era un excelente escritor, pero invirtió su dinero en cosas que desconocía y quebró. Debió viajar y continuar escribiendo para pagar las cuentas. Michael Jordan no era tan espectacular jugando al béisbol, aunque probablemente haya sido el mejor basquetbolista de la historia. E Isaac Newton invirtió grandes sumas de dinero en lo que resultó ser la famosa burbuja de los Mares del Sur.

En pocas palabras, incluso los más brillantes somos idiotas cuando dejamos nuestro ámbito de especialización, y casi siempre nos iría mejor económicamente si nos mantuviéramos en ese área y usáramos todo nuestro poder para mejorar nuestro dominio, y alimentar a la gallina de los huevos de oro.

> **Incluso los más brillantes muchas veces somos idiotas cuando dejamos nuestro ámbito de especialización, y casi siempre nos iría mejor financieramente si nos mantuviéramos dentro de él y usáramos todo lo que poseemos para aumentar nuestro dominio y alimentar a la gallina de los huevos de oro.**

Invierta su tiempo y su dinero en cosas que conozca, y su experiencia e influencia aumentarán sin cesar.

En quinto lugar, en sus negocios y economía debe prevalecer la especialización por sobre la diversidad. Destáquese en una sola cosa, en vez de ser mediocre en muchas. Andrew Carnegie decía que los buenos inversores ponen sus huevos en una canasta y la observan de cerca para asegurarse de que tenga éxito. (De hecho, le dio este consejo, ahora famoso, nada menos que a Mark Twain.)

De manera similar, Warren Buffett tuvo éxito invirtiendo en menos de veinte compañías durante cuatro décadas, y ayudando a cada una de ellas para que resultaran exitosas.[12] Sólo invirtió en lugares donde tenía poder de decisión con respecto a las opciones de la empresa. De hecho, el 99% de su costo total se encuentra en una acción (en la compañía de la que es dueño).[13]

La razón por la que la mayoría de las personas fracasa es la falta de concentración. Para lograr el verdadero éxito económico, concéntrese en estas cosas:

1. Sobresalga en su trabajo y en sus proyectos actuales, y al mismo tiempo comience su propio negocio.

2. Dedique las 10.000 horas que necesita aproximadamente para obtener conocimientos en su negocio mientras continúa destacándose en su empleo actual.

3. Haga un plan para adquirir libertad económica al llegar al punto en el que el ingreso pasivo de su negocio supere las necesidades de su familia.

4. Finalmente, una vez que tenga libertad económica, concéntrese en construir su negocio al punto en que pueda financiar el objetivo de su vida.

Ya hemos hablado de esto, pero vale la pena repetirlo. La clave es concentrarse. Cada uno de estos pasos requiere la máxima concentración, y deben realizarse de a uno a la vez. Cuando haya logrado uno de ellos, pase al siguiente y préstele el mismo nivel de atención.

Por ejemplo, Bill Lewis era un hombre soltero que se dedicaba a su empresa en su tiempo libre, mientras trabajaba como ingeniero en la industria automotriz. Trabajó diligentemente durante años, mientras su empresa crecía y él cancelaba sus deudas. Finalmente, llegó un momento en que se encontró libre de deudas, había acumulado ahorros importantes y contaba con un ingreso pasivo mayor que su ingreso activo como ingeniero.

Un día, mientras hablaba con sus asesores, hizo los cálculos de nuevo y descubrió con entusiasmo que su trabajo de ingeniero ahora era opcional. Ganaba dinero suficiente como para dejar su empleo. Al respecto, comentó:

> Es increíble cuando realmente sucede. Trabajas y aplicas los principios que has aprendido, y al principio es un proceso lento. Más tarde, al parecer de repente, llega el día en que puedes comunicarle a tu jefe que renuncias a tu empleo. Sé que no todo el mundo desea eso, pero para mí, era un sueño acuciante. Yo odiaba mi trabajo...
>
> No fue solo el ingreso externo, sino que también influyó la educación económica que había recibido y que me permitió cancelar mis deudas, acumular ahorros reales y liberarme para dedicarme a mi empresa a tiempo completo. Creo que todos podemos aprender de estos principios y hacer cosas similares.

Imagine cómo se sentirá el día que alcance su mayor objetivo.

Convertir las palabras en acción

Identifique cuál de estos cuatro es el enfoque que necesita en este momento y desarrolle una estrategia para hacerlo realidad. Añádalo (por escrito) a sus planes anteriores y actualícelos para tener una descripción detallada de los puntos en los que debe concentrarse a medida que cumple con el elemento siguiente de la lista. Ponga su plan en acción.

PARA LOGRAR EL ÉXITO FINANCIERO DE VERDAD, CONCÉNTRESE EN ESAS COSAS: 1. DESTÁQUESE VERDADERAMENTE EN SU TRABAJO Y EN SUS PROYECTOS ACTUALES, Y, AL MISMO TIEMPO, INICIE SU PROPIO NEGOCIO. 2. DEDIQUE LAS 10.000 HORAS QUE SE NECESITAN APROXIMADAMENTE PARA OBTENER EL CONOCIMIENTO DE SU NEGOCIO SIN DEJAR DE DISTINGUIRSE EN SU TRABAJO ACTUAL. 3. HAGA UN PLAN PARA LOGRAR LA LIBERTAD ECONÓMICA ALCANZANDO EL PUNTO EN EL CUAL EL INGRESO PASIVO DE SU NEGOCIO CUBRA CON CRECES LAS NECESIDADES DE SU FAMILIA. 4. FINALMENTE, UNA VEZ QUE TENGA LIBERTAD ECONÓMICA, CONCÉNTRESE EN DESARROLLAR SU NEGOCIO HASTA QUE CUBRA SU OBJETIVO DE VIDA. CADA UNO DE ESTOS PASOS REQUIEREN LA MÁXIMA CONCENTRACIÓN, Y DEBEN REALIZARSE UNO A LA VEZ. CUANDO HAYA LOGRADO EL PRIMERO, DÉ AL SEGUNDO EL MISMO NIVEL DE ATENCIÓN Y SIGA ASÍ, SUCESIVAMENTE.

CAPÍTULO TRECE

Elegir su negocio

«La gente feliz produce. La gente aburrida consume.»
—Stephen Richards

Ahora hablaremos acerca del corazón del abordaje económico. Es hora de elegir su empresa. Tal vez ya cuenta con una empresa. De ser así, puede aplicar estos principios para hacerla crecer. Si es nuevo en el mundo empresarial, debe saber la verdad desde el principio:

Menos del 10% de las nuevas empresas prosperan.

Este hecho no quiere decir que no debe comenzar a desarrollar un negocio; significa que debe ser inteligente a la hora de hacerlo. La primera clave es fundamental: rodéese de buenos asesores. Busque asesores que hayan tenido éxito en el tipo de empresa que se dispone a desarrollar y que puedan ayudarlo eficazmente en todo el proceso.

ENCUENTRE BUENOS ASESORES Y PRÉSTELES VERDADERA ATENCIÓN.

Casi todas las fallas de las empresas se deben a tener malos asesores o a no seguir su consejo.

¿Qué tipo de negocio?

Para encontrar un buen asesor, debe saber qué tipo de empresa se propone fundar. Luego, puede buscar asesores que hayan tenido éxito en el mismo tipo de negocios.

Existen dos enfoques principales para comenzar una empresa.

1. La construcción de un sistema
2. La compra de un sistema

Construir su propio sistema empresarial requiere mucho trabajo y alcanzar la rentabilidad puede tomar muchos años. Uno de los mejores libros para construir su propio sistema empresarial desde cero es *El mito del emprendedor* de Michael Gerber.

Gerber sugiere comenzar a pequeña escala, que el emprendedor cubra la mayoría de los puestos, y que contrate empleados solo una vez que haya aprendido cada rol por experiencia propia. En este proceso, le aconseja realizar las tareas de un puesto de trabajo, aprender su pormenores y utilizar su propia experiencia obtenida a partir de su esfuerzo para escribir una descripción exhaustiva del cargo. Esto debería convertirse en un sistema eficaz y repetible.

Luego, debe realizar lo mismo para todos los otros puestos de la empresa. A medida que complete el sistema para cada rol, puede contratar empleados para cubrir estos puestos mientras trabaja y desarrolla sistemas en otros puestos necesarios. Muchas empresas han comenzado de esta forma.

Se reconoce que este proceso es lento, y ese es uno de los motivos por los que más del 90% de las empresas fracasa. De hecho, muchas nuevas empresas exitosas «construidas» son desarrolladas por líderes que han fundado empresas exitosas primero «compradas», y que luego aplicaron su conocimiento y experiencia para construir un sistema desde cero.

Muy pocas personas pasan directamente del mundo de los empleos en relación de dependencia a las exigencias de un sistema empresarial «en construcción». Muchos lo intentan, y casi todos fallan. Parte del desafío es que pocas de las empresas «construidas» permiten que los emprendedores conserven sus empleos habituales mientras crean una nueva empresa.

Comprar un sistema

Pero muchos pueden cambiar de un empleo a un sistema empresarial «comprado» y alcanzar el éxito. Ellos logran conservar su empleo diario mientras comienzan su empresa, y pueden utilizar los ingresos para financiar el emprendimiento.

Tal vez la mayor ventaja de comenzar una empresa con un sistema «comprado» es que una gran parte del trabajo ya está hecho: la estructura legal, las descripciones de puestos, los productos, la capacitación de liderazgo y muchos otros aspectos que hacen que los sistemas «de construcción» sean abrumadores para la mayoría. Sobre todo, las empresas «compradas» a veces incluyen asesores que ya son exitosos.

Existen varios tipos de sistemas empresariales «comprados». Las más numerosas son las empresas existentes que venden sus sistemas, una cartera de clientes y una fuente de ingreso junto con sus contratos de constitución o arrendamiento y otros elementos fijos. En algunos casos, también se conservan los empleados.

Los desafíos en este tipo de acuerdo son numerosos, porque las empresas existentes también traen aparejados sus problemas: contratos que deben cumplir, tal vez deudas, políticas complicadas entre los empleados y la gerencia, etc. En consecuencia, es esencial que los compradores potenciales se esfuercen por hacer lo correcto antes de adquirir empresas existentes.

Tal vez la dificultad más grande sea que a la gente sin experiencia en empresas rara vez les va bien cuando adquieren una organización existente. Por lo general, se incorporan a ella con la formación de un empleado, o incluso con la de un estudiante, y muy pocas compañías sobreviven a la transición.

Los buenos propietarios de sistemas empresariales poseen mucha experiencia como líderes exitosos, y aquellos con formación de empleados rara vez adquieren esa experiencia. Por supuesto existen excepciones de personas que adquieren un sistema empresarial a pesar de no contar con ninguna experiencia y que aprenden a base de prueba, error y tenacidad para que funcione.

Los otros grandes sistemas empresariales «comprados» incluyen: franquicias y empresas de comercialización de redes. Por lo general, ambos brindan enormes beneficios en el área legal, de producción, de comercialización y capacitación de liderazgo. Ambas suelen tener normas y sistemas bien establecidos que resultan eficaces.

La diferencia más importante entre las dos es que las franquicias por lo general requieren cientos de miles de dólares (o más) por adelantado, mientras que uno se puede asociar a empresas de comercialización de redes por unos cientos de dólares. Además, las empresas de comercialización de contactos profesionales casi siempre tienen asesores incorporados que ayudan a los nuevos dueños a triunfar.

El experto en marketing a través de internet Eban Pagan dijo: «La comercialización de redes es un gran lugar para empezar. Aprenderá mucho si se dedica un par de años a eso... porque tiene que tratar con personas, tiene que entender cómo trabaja la otra persona. También debe rodearse de gente exitosa. Relacionarse de forma directa con personas con una mentalidad exitosa es uno de los caminos más rápidos. Puede asistir a conferencias, obtener información, productos, etc. De repente, caerá en la cuenta de los resultados al conversar con otras personas.»

Eban señala que la comercialización de redes es una gran idea porque nos brinda una experiencia invaluable y oportunidades de aprendizaje para tratar de forma directa con un amplio abanico de personas (que es fundamental en el éxito de cualquier empresa), y nos permite relacionarnos con líderes de pensamiento y gente que alcanza los principios del éxito mejor, con más facilidad y de forma más directa que cualquier otra industria.

Escribir las ventajas y desventajas

Según su experiencia e intereses, cualquiera de estos tipos de empresa puede ser el indicado para usted. A la hora de decidir qué tipo de empresa desea crear o comprar, hágase las siguientes preguntas y respóndalas por escrito.

Si ya es dueño de un sistema empresarial exitoso, pregúntese:

- ¿Desea comenzar otro tipo de empresa, o ampliar la que posee actualmente?
- ¿Desea construir una empresa nueva desde cero?
- ¿O desea invertir en un sistema empresarial que ya esté establecido, para poder concentrarse en el crecimiento?
- ¿Ha adquirido conocimientos en su área de negocios actual?
- ¿Desea adquirir un sistema empresarial fuera de su área de conocimiento y tomarse el tiempo para capacitarse en ese otro campo?
- ¿O desea adquirir otro sistema empresarial dentro de su campo de conocimientos?
- ¿Es momento de ampliar su sistema empresarial mientras sigue concentrándose en su sueño?
- ¿O es hora de vender su sistema empresarial, o tal vez contratar a un gerente que lo administre, y concentrarse más en su sueño?

- ¿Cómo puede conectar sus negocios con sus pasiones?

Si aún no es dueño de un sistema empresarial exitoso, considere lo siguiente:

- Es probable que no desee comprar un sistema empresarial existente, a menos que cuente con mucha experiencia en el campo, por haber trabajado en un negocio familiar, por ejemplo. ¿Posee conocimientos en el campo de los negocios?
- ¿Cuenta con fondos para adquirir la empresa existente?
- ¿Le interesa una franquicia?
- ¿Tiene acceso a los recursos necesarios para comprar una franquicia?
- ¿Ha investigado las empresas de contactos profesionales y ha encontrado alguna que tenga que ver con sus pasiones e intereses?
- ¿Desea fundar una empresa nueva desde cero?
- ¿Puede distinguirse más en su trabajo actual a fin de aportar mayores recursos para construir su sistema empresarial?
- ¿Cuáles son sus pasiones? ¿Cómo puede construir un negocio en torno a ellas?
- ¿Tiene una idea para un sistema empresarial pero necesita experiencia en liderazgo y recursos para poder ponerla en práctica? Si es así, ¿necesita un sistema empresarial que le aporte experiencia y dinero durante algunos años?

- ¿En qué áreas desea adquirir conocimientos? ¿Está dispuesto a invertir el tiempo necesario para lograrlo? ¿Qué oportunidades de sistemas empresariales se encuentran disponibles en estos ámbitos?

> **¿Cuáles son sus pasiones y cómo puede construir su negocio en torno de ellas?**

- ¿Quién lo asesorará?

Entrar en acción

Uno de los aspectos más importantes a la hora de construir su sistema empresarial propio es crear un producto o servicio que satisfaga y exceda las necesidades del cliente, brindándole valor real. Al producir algo que los clientes realmente necesitan y que mejora sus vidas, el valor de su sistema empresarial tendrá oportunidades de crecimiento, ya que marcará una diferencia significativa para las personas que lo consumen.

Haga su tarea. Investigue y encuentre las oportunidades adecuadas. Están a la espera de quienes se dispongan a buscarlas. Encuentre la oportunidad correcta para usted y ponga manos a la obra.

En resumen, lo bueno les llega a aquellos que entran en acción. Incluso si más adelante modifica su plan, al ponerse en marcha y comenzar una empresa que le interese, se diferenciará mucho de aquellos que esperan o no hacen nada.

CATORCE

Alimente a la gallina de los huevos de oro

«Demasiada gente gasta dinero que no tiene...para comprar cosas que no quieren...para impresionar a otros que no les agradan».
—WILL ROGERS

Muchas veces nos referimos a construir una empresa diciendo «Alimente a la gallina de los huevos de oro». Cuando su empresa es rentable, especialmente en ingresos pasivos, podemos compararla con la historia de la gallina que pone huevos de oro.

En esencia, el dinero puede utilizarse de dos maneras. Una es productiva y la otra es excesiva (y, posiblemente, hasta destructiva). El gasto productivo de dinero ni siquiera constituye un gasto, más bien es una *inversión*. El gasto no productivo es el *consumo*.

La diferencia radica en lo que se logra con del desembolso de su preciado dinero. La pregunta fundamental es: ¿El gasto implica un beneficio o desaparece para siempre?.

En todo momento, pero especialmente en tiempos económicos difíciles, el gasto debe realizarse de forma estratégica a fin de minimizar la suma que se pierde y maximizar la que se destina a fines productivos. Reiteramos, «productivo» se refiere a aquello que incrementa su capital al ser

¿El gasto ofrece una retribución o se va por siempre?

141

invertido en algo valioso, algo que genera liquidez, que genera el ingreso de más dólares.

La mayoría no piensa de este modo naturalmente, sobre todo porque fueron criados con una Mentalidad de Gasto y no con una vista Maximizadora. Pero el camino hacia la solvencia requiere adoptar un nuevo punto de vista.

Una triste verdad

Insistimos en estos puntos, aparentemente simples, porque hemos descubierto, a lo largo de los años, que la inteligencia económica y la experiencia no son para nada frecuentes. Parece que a pocas personas les enseñaron que el dinero tiene un propósito más allá de aportar comodidad inmediata y satisfacción. Como resultado, muchos que cuentan con ingresos de seis cifras han gastado tanto que no han podido obtener ningún beneficio. Esto es increíble, pero real.

Los difíciles panoramas financieros en los que la economía se vuelve menos productiva, el dólar se devalúa, los puestos de empleo disminuyen, los salarios bajan, se elimina el pago de horas extra, se exigen concesiones y demás solo ayudan a enfatizar el punto y a incrementar los malos hábitos.

> **Al parecer, a pocas personas les han enseñado que el dinero tiene un propósito más allá de su uso para comodidad y gratificación inmediatas.**

Durante estos tiempos difíciles quedan expuestos quienes son torpes o ignorantes con las finanzas (o adictos al consumo). La mayoría no tiene la culpa de haber heredado hábitos y actitudes incorrectos con respecto al dinero, pero en algún punto, todos tenemos que hacernos responsables y adoptar una visión adulta del dinero.

Muchos entran en pánico y reducen gastos de forma drástica

cuando se enfrentan a desafíos económicos. El problema es que también reducen los gastos en las áreas productivas. Han malgastado tanto dinero y se han sumergido en tantos problemas económicos que ya no pueden (o no quieren) invertir dinero en alimentar a la gallina de los huevos de oro.

Según declaraciones del millonario asesor financiero Todd Tresidder, «aquellos que poseen deudas de tarjeta de crédito y demasiadas cuentas a pagar están más comprometidos con su estilo de vida que con la construcción de capital».

Los que poseen madurez económica saben que deben alimentar a la gallina de los huevos de oro **sin importar lo que suceda**. Esto se refiere a los buenos tiempos, cuando la adicción al consumo y el derroche son más tentadores. Pero también en tiempos difíciles, cuando el pánico se instala y se rehúye de los gastos al máximo, como ratas que se escapan de un naufragio.

> **Lo que separa a los adinerados del resto es su disciplina para usar el dinero en forma productiva.**

La disciplina de utilizar el dinero de forma productiva separa a los adinerados del resto.

Una dieta económica

La triste realidad es que la mayoría de las personas sufren de obesidad económica y deben ponerse a dieta. Sin importar cuántos espejitos de colores nos quiera mostrar el gobierno, la mayoría de nosotros se encuentra en una mala situación económica. La suma total de lo adeudado por los hogares en los Estados Unidos actualmente supera los tres billones de dólares.

Nos quejamos de que el gobierno esté endeudado, entre 15 y 53 billones de dólares (según se considere la deuda financiada actualmente o la que se financiará en el futuro), pero la población de los Estados Unidos tiene más de tres billones de dólares en deudas personales. La adicción al crédito moderna llegó para quedarse, y ahora estamos obligados a pagar el precio.

La burbuja de la construcción explotó y causó la Gran Depresión. El juego de refinanciar su casa para tomar la participación en la propiedad y gastarla en cosas sin valor ha terminado.

En nuestra dieta, debemos admitir qué comidas son buenas y cuáles son malas, y aplicarlo a nuestra economía. Profundicemos la diferencia entre el consumo y la inversión, ya que el uso adecuado del dinero produce más ingresos a futuro. Este es el tipo de gasto que acumula activos.

Un activo es algo que genera más ingresos, mayor liquidez, como por ejemplo, la empresa que lo instamos a comenzar. Una casa no es un activo, ya que es extremadamente costoso mantenerla. Si tenemos una casa y la arrendamos por un monto, entonces es un activo. Si vivimos en ella, no lo es. Por eso recomendamos que algunos renten y dejen que el mercado siga bajando (dependiendo de su situación financiera particular).

Pero hay una diferencia entre gastar bien y gastar mal. El consumo es dinero perdido. La inversión está diseñada para proporcionar un beneficio.

Gastos no productivos

Suelen asombrarnos las cosas en las que otras personas gastan su dinero. Hagamos una lista de gastos no productivos. El dinero, una vez gastado, desaparece, y por lo general se pierde. Recuerde: este es dinero gastado después de que se deducen los elevados impuestos a los ingresos.

Televisión por cable/satélite, películas (cines/alquileres/compras/colecciones de Blu-ray y DVD), comer en restaurantes, ir de compras solo por la diversión de gastar, ropa, moda, joyas, revistas, diarios, CDs de música y descargas, café (de esos que tienen nombres tan largos como una oración, que se beben en pequeñas tazas con el dedo meñique levantado), refrescos, dulces, eventos deportivos, cigarrillos, alcohol, spas, tratamientos para las uñas, el cabello y la piel, la elección de los alimentos más costosos de la tienda de comestibles, viajes, entretenimiento de todo tipo, pasatiempos, mascotas, etc. Esta es una lista del consumo. La mayoría de estos gastos constituyen un imprudente derroche de dinero.

Nada de esto alimenta a la gallina de los huevos de oro. La gallina es su empresa, su ingreso y su propia capacidad de tener éxito en algo rentable, y alimentarla significa invertir en cosas que le retribuirán más dinero que el invertido.

Este concepto es muy simple, pero pocos lo aplican. Casi todos los que lo hacen son solventes. Quienes no lo aplican son adictos a los problemas económicos. Es así de simple.

Entonces, ¿por qué no es más la gente que utiliza su dinero para alimentar a la gallina de los huevos de oro? La respuesta está en los hábitos, los impulsos y el efecto multiplicador que se da cuando gastamos en cosas inadecuadas.

Buenas noticias

Lo bueno del efecto multiplicador es que también genera impulso en la dirección correcta. Cuando la gente sigue los principios de la solvencia descritos en este libro, sus buenas decisiones se multiplicarán y adquirirán impulso hacia la prosperidad.

El momento de la verdad, cuando las cosas comienzan a suceder, depende de los gastos realizados. Ya hemos hablado de esto desde diferentes ángulos, porque es un principio esencial para el éxito económico. De hecho, este es el punto crucial de la solvencia: quienes gastan de forma productiva (alimentando a la gallina a fin de que sus gastos generan más dinero del gastado) se liberan de deudas, se vuelven prósperos y crean riqueza. Y en última instancia utilizan esta riqueza para alcanzar sus objetivos y cumplir sus sueños.

Quienes gastan una mayor parte de su dinero en forma improductiva en cosas que no generarán más dinero el mes próximo ni el año próximo, son flácidos en términos económicos. Nunca comprenden del todo los principios del dinero, y siempre tienen problemas a la hora de pagar las cuentas... y ni hablar de alcanzar sus mayores sueños.

Gastos productivos

El gasto productivo es inversión. Significa invertir el dinero en la Jerarquía de Inversión USTED, Inc. para obtener activos reales. Se trata de «alimento para la gallina». Pensemos en la historia de la gallina que ponía huevos de oro. Nuestros hogares y el falso incremento de su valor que aumentó durante algunos años, no eran la gallina de los huevos de oro. Aunque muchos nos hicieron creer esto, no era cierto.

La gallina de los huevos de oro incluye nuestra propia habilidad para tener éxito. Es la capacidad de ser exitoso en el puesto de empleo o, lo que es más importante, de hacer un buen trabajo en un emprendimiento comercial. Tener una empresa propia que ayude a la economía y genere ingresos por medios productivos: *esta* es la gallina.

La conducta normal para la mayoría es derrochar y gastar dinero en demasiadas cosas improductivas. (De hecho, la primera versión de este libro decía: «...gastar dinero en demasiadas tonterías». El que nuestro editor lo modificara nos pareció políticamente correcto. Pero también queríamos decirlo como es en realidad.) Luego se enfrentan a problemas económicos, y entran en pánico.

Esto también se puede observar en las dietas. La gente se mueve en los extremos y sólo come carne, o tomates, o simplemente pasa hambre. Los extremos rara vez son la solución. Los extremos no suelen funcionar. Ser extremistas con nuestro cuerpo no dura

> **Los extremos rara vez son la solución. Los extremos no suelen funcionar.**

mucho. La mayoría volvemos a los antiguos hábitos poco saludables, a como éramos antes.

Los enfoques extremos también son destructivos porque privan al organismo de sus necesidades reales. Las dietas económicas tienen los mismos problemas.

En lugar de ir a los extremos, debemos aplicar los principios del éxito económico. Debemos pensar: «¿Cuál es la gallina de los huevos de oro en mi vida? ¿Qué es lo más productivo que puedo hacer en el trabajo o en una empresa? ¿Dónde puedo poner energía, tiempo y dinero e invertir de manera que con el tiempo obtenga un rédito?».

Lo que se necesita es una dieta financiera sabia que termine con el derroche del dinero, como cenar afuera, comprar automóviles modernos, gastar en exceso en recreación y entretenimiento, y otros antiguos hábitos que nos ocasionaron problemas en primer lugar. Pero recortar gastos en cosas improductivas no es suficiente. Debemos utilizar el dinero para fines productivos, que alimenten a la gallina.

Por lo general, entramos en pánico y eliminamos todo gasto. Esto es positivo si se trata de eliminar el consumo destructivo y derrochador, pero es necesario seguir alimentando a la gallina de los huevos de oro. El principio es el siguiente: primero alimente a la gallina. No entre en pánico y no deje que la gallina pase hambre.

Asegúrese de que está abrigada, segura y cómoda. Siga alimentándola a largo plazo, para que se ponga más gorda y engendre más gallinas que pongan más huevos de oro. No desperdicie el dinero que debería invertirse en ella en un estilo de vida consumista, de malos hábitos y económicamente obeso.

Alimentar a la gallina

Comenzamos con el principio de invertir siempre en nosotros mismos. Si lo recuerda, mencionamos que el primer nivel de la jerarquía de inversión de USTED, Inc. es invertir en usted mismo. Esto se logra expandiendo nuestra capacidad y habilidad para crear riqueza invirtiendo en educación para el desarrollo personal y actividades emprendedoras o intraemprendedoras, y financiando nuestra cuenta de ahorro en forma automática. Los ahorros son suyos para conservarlos y nunca malgastarlos. Siempre mantenga ahorros adecuados en efectivo. Sin embargo, llega un momento en el que utilizar *una parte* de nuestros preciados ahorros es más productivo si se los invierte en el desarrollo de su empresa en lugar de estar depositados en una cuenta de ahorro. Utilícelos con prudencia, solo de manera que generen más ingresos que su inversión. El concepto de invertir en nuestra propia empresa es uno de los principios más importantes de la solvencia. Junto con nuestras habilidades y conocimiento personales, nuestra empresa es la gallina y, al alimentarla, se puede crear una tubería duradera hacia la riqueza y así alcanzar nuestros sueños.

Si no está preparado para hacer un cambio, no lo haga. Solo modifique algo cuando haya analizado con prudencia las ventajas y desventajas y sepa que ese es el mejor lugar para aumentar la productividad de su dinero. Y asegúrese de que su asesor esté de acuerdo.

La forma de salir de un problema económico es determinar cuál es su gallina de los huevos de oro (o encontrarla) y alimentarla. Es posible que deba sacrificar el consumo. Tal vez no pueda hacer algunas de las cosas que deseaba. La Navidad será un poco más austera. Pero no le hará daño.

> **La forma de salir de un problema económico es determinar cuál es su gallina (o encontrarla), y alimentarla.**

Un problema generalizado

Un estilo de vida materialista y a lo grande no nos hace más felices. La familia estadounidense media tiene deudas y vive al día. ¿De dónde tomaron la idea de que está bien tener deudas y que está a la moda firmar en la línea punteada? Es triste que la respuesta sea, por lo general que el gobierno promueve este tipo de flaccidez financiera.

¿Ha visto alguna vez vendedores de drogas en la esquina, merodeando en actitud sospechosa? Primero les ofrecen un poco a los niños sin costo, y luego les dan alicientes e incentivos para que quieran cada vez más. Los gobiernos suelen hacer lo mismo.

Un ejemplo es el de los Estados Unidos. Ha bajado las tasas de interés a valores prácticamente nulos, otorgado deducciones de intereses en los créditos hipotecarios y créditos impositivos a quienes compren inmuebles y ofrecido programas ridículos, como pagarle a la gente para que se deshaga de sus automóviles.

¡Qué idea brillante! Que un montón de gente que ya terminó de pagar sus vehículos los entregue, así podremos financiarles nuevas adquisiciones. Fomentemos todo tipo de gasto y comprar cosas a crédito y luego llamémoslo una buena economía.

Está claro que las novedades financieras no son tan eficaces como los principios simples, sólidos y comprobados de la solvencia aplicados a lo largo del tiempo. Las novedades se desvanecen; los principios prosperan.

Por ejemplo, años atrás, mucha gente especulaba con los bienes raíces y la compra de propiedades para su reventa. Ahora, es evidente que el negocio no ha funcionado. El empresario Tim Marks trabajaba como ingeniero y decidió que quería encontrar una manera de dejar de trabajar tantas horas para pasar más tiempo con su familia. Es así que le creyó a uno de esos infomerciales que se transmiten por cable durante la noche acerca de bienes inmuebles sin anticipo, y comenzó a comprar propiedades para alquilar en forma compulsiva.

En solo un año adquirió treinta y tres casas para alquilar y, por lo menos en teoría, el programa estaba funcionando. Los productores del negocio inmobiliario lo invitaron, junto con su familia, a Florida para filmar un video que promoviera su «éxito» e incluso

149

colocaron un hipotético «valor neto» en la pantalla bajo su foto.

La realidad, sin embargo, era un poco menos deslumbrante. En poco tiempo comenzaron los problemas, ya que los inquilinos destruían o abandonaban las propiedades. Peor aún, un administrador de las propiedades malversó una suma de dinero de seis cifras en el lapso de dos años, y la liquidez de Tim se volvió terriblemente negativa. En la lucha por mantener el castillo de naipes en pie, Tim llevaba una vida estresante de comparecencias ante la corte y frenéticas visitas a los bancos.

Las situación se desmoronó y le dejó como resultado una enorme cantidad de deudas. Tim aprendió por las malas que «el apalancamiento financiero» y utilizar «el dinero de otras personas» es mucho más complicado de lo que suena. Mientras que para algunos puede haber grandes ventajas, Tim descubrió que el lado negativo puede ser extremadamente doloroso. En vez de encontrar la manera de ser solvente, Tim se había vuelto imprudente, mientras creía que estaba haciendo algo responsable por su familia y su futuro.

Con mucho trabajo, Tim y su esposa Amy aprendieron los principios de la solvencia y salieron del pozo en el que se habían metido. Al final construyeron una empresa próspera y comenzaron a tener el estilo de vida que había deseado durante mucho tiempo.

Es increíble ver todos estos locos anuncios publicitarios nocturnos, como «hazte rico ya» o «proteja la inversión de su nueva motocicleta». ¿Inversión? Una motocicleta nueva no es una inversión. Recuerde lo siguiente: si debe financiar su recreación, no es momento de jugar.

> **Si debe financiar su recreación, no es momento de jugar.**

Lo reiteramos: los hábitos y el impulso de las malas decisiones económicas no lo harán feliz. Lo que nos hace felices es ser productivos y hacer cosas para las que fuimos creados teniendo en cuenta una visión, alimentando a la gallina, consiguiendo victorias, creciendo y logrando cosas que importen. Esto es mucho más divertido y reconfortante que endeudarse para comprar lo primero que nos llame la atención. Como dijo en broma Steve Jobs una vez: «La simplicidad es la sofisticación más avanzada.»

Siempre recuerde el principio de alimentar a la gallina de los huevos de oro. Invierta su dinero en el alimento. Deje de desperdiciar dinero en bienes de consumo y comience a invertir, en especial en aquellas cosas que controla.

USE EL DINERO EN FORMA PRODUCTIVA —COLÓQUELO ALLÍ DONDE LE DEVUELVA MÁS DE LO QUE PONE—, EN VEZ DE GASTARLO DE FORMA IMPRODUCTIVA. EN LO MEJOR QUE PUEDE INVERTIRLO ES EN USTED Y EN SU NEGOCIO. USE PARTE DE SUS AHORROS CON SABIDURÍA Y DE MANERA ADECUADA A FIN DE AUMENTAR SUS ACTIVOS Y GANANCIAS COMERCIALES.

Específicamente, el mejor lugar para invertir es en uno mismo y en las cosas que podemos hacer y que resultan productivas a largo plazo. Su mayor activo es usted mismo. Invierta en usted y en el desarrollo de su negocio con eficacia y sabiduría. No desperdicie el alimento de la gallina de los huevos de oro.

Tállelo en mármol

Actualice su plan económico para incluir una mayor inversión de su dinero en fines productivos, y considere cuándo utilizar parte de sus ahorros en usos empresariales más productivos que incrementen su tasa de rentabilidad.

Advertencia: no dé este paso hasta que haya ahorrado lo suficiente y su empresa esté lista para beneficiarse significativamente gracias a los activos adicionales. Sólo use este dinero para financiar activos que le traigan mayores ingresos de los que haya invertido. Nunca use sus ahorros para especular. Sólo invierta de esta manera en su propia empresa, que usted mismo puede controlar. Consulte a su asesor a medida que tome este tipo de decisiones.

> **Usted es su principal activo. Invierta en usted, y en forma eficaz y sabia para construir su negocio.**

Ponga estos cambios por escrito, y sólo ejecútelos después de discutirlos en detalle con sus asesores financieros más importantes.

QUINCE

La jerarquía de inversión en USTED, Inc.

«El dinero es un gran sirviente, pero un mal amo.»
—FRANCIS BACON

El primer principio de la solvencia es invertir el dinero en nosotros mismos, y a esta altura ya lo debe haber puesto en práctica desde hace bastante. En este capítulo discutiremos los siete niveles de la jerarquía de inversión en USTED, Inc., que muestra los diferentes niveles de inversiones a los que se destinarán sus ahorros.

Cada nivel tiene sus propias normas, reglas, advertencias y principios para el éxito. Lo más importante es concentrarse en los niveles inferiores de la jerarquía y solo pasar a los niveles más altos una vez que se hayan dominado los anteriores. Tengamos en cuenta que a medida que ascendemos en la escala jerárquica, los niveles representarán inversiones menos seguras que los anteriores.

Nivel uno: Usted mismo

Invertir en usted es el primer objetivo de una buena inversión y el nivel fundacional de la jerarquía de inversión en USTED, Inc. De hecho, invertir en usted mismo (en su educación, su sabiduría financiera, su capacidad de liderazgo y otras habilidades, conocimientos y fortalezas) es el tipo de inversión más segura.

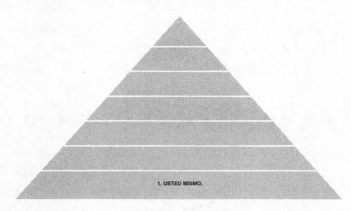

1. USTED MISMO.

Esto incluye invertir en su propia empresa. Una de las maneras más eficaces de invertir en usted mismo es invertir en el éxito de su propia empresa. Cree una empresa. Desarróllela. Este es un proceso vital en el camino hacia la solvencia.

> **Invertir en usted es el primer objetivo de una buena inversión.**

Nivel dos: Fondo de emergencias

El siguiente nivel de la jerarquía de inversión en USTED, Inc. es su fondo de emergencias, del que ya hemos hablado. De hecho, a esta altura, debería contar con una buena cantidad ahorrada en este fondo. Una marca importante en el fondo de emergencias es ahorrar al menos $1.000. Esto debería hacerse lo antes posible. ¡Venda algo o trabaje más para adquirir la suma inicial *con rapidez*!

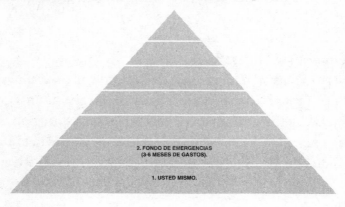

2. FONDO DE EMERGENCIAS
(3-6 MESES DE GASTOS).

1. USTED MISMO.

Continúe ahorrando hasta que cuente con lo suficiente como para cubrir entre tres y seis meses de gastos de subsistencia. A medida que crezcan sus activos e ingresos, también debería crecer su fondo de emergencia.

Nivel tres: Preparación para la supervivencia

A medida que crezca su fondo de emergencia y se aproxime a cubrir entre tres y seis meses de gastos, puede comenzar a invertir una parte pequeña de sus ahorros en el tercer nivel de la jerarquía, a fin de prepararse para lo peor, por ejemplo un desastre natural como un terremoto, un huracán o un tornado, u otras situaciones como el cierre de bancos, como sucedió durante la Gran Depresión. De hecho, la generación que sobrevivió a la Gran Depresión tenía excelentes hábitos de inversión, aprendidos a la fuerza. Es una buena idea seguir su ejemplo.

Ahorrar para el peor escenario posible incluye lo opuesto de reinvertir el dinero, lo que llamaremos «incautación». Esto se refiere a ahorrar diferentes formas de dinero en caso de que suceda una catástrofe. Guarde efectivo en un lugar seguro y secreto. En caso de que la inflación arruine el valor de la moneda, también ahorre algunas monedas de plata. La plata es mejor que el oro a estos fines porque en un mundo caótico el oro será muy valioso, por lo que una moneda de oro valdrá mucho más que la comida que querrá comprar con ella.

> **Ahorrar para la peor situación posible incluye lo opuesto a acumular dinero, lo que llamaremos "incautación".**

Las monedas de plata pequeñas serán más fáciles de intercambiar para cubrir necesidades pequeñas. El oro puede utilizarse para proteger grandes cantidades de dinero de la pérdida de valor por la inflación estatal (hablaremos de esto más adelante).

Por cierto, no exagere con respecto a esto. No somos pesimistas y no predecimos un mundo con bandidos errantes y sin electricidad. Podría suceder, pero también podrían pasar muchas otras cosas. Simplemente sugerimos que parte de una planificación sensata del dinero es tener en cuenta que los feriados bancarios y el cierre de bancos pueden ocurrir. Ocurrieron durante la Gran Depresión, aunque el mundo no llegó a su fin. Pero quienes poseían un poco de dinero en efectivo y plata pudieron comprar comida y combustible, mientras que otros no. Y también puede haber grandes tormentas, desastres naturales y otros desafíos. Por eso, debemos estar preparados. No seamos fanáticos. Solo tomemos alguna precauciones.

Otra inversión valiosa dentro en este nivel es el acopio de alimentos. Adquiera alimentos no perecederos y guárdelos en un lugar fresco y seco. Muchos guardan armas y balas junto a sus alimentos y monedas de metal. Aprender a cazar podría ser muy útil. De nuevo, esto se aplica a necesidades de supervivencia desesperadas, pero si forman parte de nuestra jerarquía de inversión pueden resultar de gran valor.

APARTE ALGO DE DINERO CON EL FIN DE PREPARARSE
PARA EL PEOR ESCENARIO POSIBLE. NO SE OBSESIONE
CON ESTO, PERO TAMPOCO LO IGNORE.

Nivel cuatro: Ahorros a largo plazo y con objetivos específicos

Una vez que tenga suficiente dinero en el fondo de emergencia como para cubrir entre tres y seis meses de gastos de subsistencia y haya constituido una sólida reserva de preparación de supervivencia, puede ascender en la escala jerárquica e invertir en ahorros a largo plazo. Este sigue siendo *su* dinero, el dinero que invierte en usted mismo y que nunca gasta. A medida que se acumula el 10% (o más) de sus ingresos, esta inversión se vuelve cada vez más grande.

A esta altura, también puede crear cuentas de ahorro adicionales con objetivos específicos para aquellas cosas que desee comprar en un futuro. Esto es lo que la mayoría considera «ahorros» típicos, sobre los que probablemente le enseñaron sus padres. Están compuestos por el dinero que planea gastar más adelante, a diferencia del 10% que invirtió en usted mismo al principio (que nunca utiliza para gastos de consumo).

GENERE UN FONDO DE AHORROS HABITUAL CON OBJETIVOS ESPECÍFICOS PARA LAS COSAS QUE QUIERE COMPRAR MÁS ADELANTE. INCREMENTE ESTE FONDO EN FORMA CONSTANTE Y COMPRE ARTÍCULOS DE CONSUMO EN EFECTIVO (SIN FINANCIACIÓN).

Conformar un fondo de ahorros con objetivos específicos le permite prepararse para poder pagar en efectivo en vez de utilizar créditos para adquirir bienes o servicios como automóviles, la universidad de sus hijos, construir una nueva casa, un viaje, o invertir dinero para que sus hijos construyan su casa propia cuando sean adultos, etc.

Si no tiene deudas, el objetivo será incrementar la cantidad que invierte en usted del 10% a un valor más alto. Orrin Woodward recomienda establecer como objetivo reducir los gastos e incrementar los ingresos hasta que podamos vivir del 75% del ingreso neto real. Después, a largo plazo, a medida que crezca su economía, puede comenzar a mantenerse con el 50% de su ingreso. Imagine cuán completa podría estar su jerarquía de inversiones en USTED, Inc. si no gasta todo el dinero al momento de obtenerlo.

Para ser más claros, cada vez que ingresa dinero, hacemos lo siguiente:

- Pagamos un 10% de diezmo.
- Invertimos un 10% (o más) en la jerarquía de inversión en

158

USTED, Inc. para cumplir el principio de «primero invierta en usted».

- Donamos una parte en ofrendas o caridad.
- Si tenemos deudas, pagamos todo lo que se pueda más allá del 10% que invertimos en nosotros mismos.
- Si no tenemos deudas, podemos invertir una parte del dinero en un fondo de ahorros con objetivos específicos (para un automóvil, un viaje, etc.) o aumentar el 10% que invertimos en nosotros mismos a un porcentaje más alto.
- Pagamos las cuentas y vivimos con el resto de nuestros ingresos (utilizando, de ser necesario, el método del sobre con dinero en efectivo tratado anteriormente. Vea el libro de ejercicios para obtener más detalles).

Tenga en cuenta que, en este momento, restan solo tres niveles de inversión, y la mayoría de lo que hemos tratado hasta ahora podría considerarse, en forma legítima, «ahorros». Observe también que la jerarquía es mayor en la base para subrayar la importancia de los pasos fundacionales, no necesariamente para indicar que las *sumas* de dinero en esos niveles son mayores que en los lugares más altos en la jerarquía.

Este punto es fundamental: los líderes son ahorradores. Invierten en cosas duraderas. Quienes invierten en cosas que no son seguras por lo general no tienen mucho dinero y suelen quedar atrapados en ciclos continuos de problemas económicos. Siga este programa y será un ahorrador consumado.

Una advertencia

Es esencial no utilizar sus ahorros para especular. Utilice sus ahorros en las formas que se explicaron en los primeros 4 niveles de la jerarquía de inversión en USTED, Inc. Se llama ahorrar con una razón; nunca especule con sus ahorros.

De hecho, si nunca invirtiera en nada más allá de los cuatro niveles, le podría ir muy bien en términos económicos. Por ejemplo, un informe del *US News & World Report* resumió el método de inversión de Warren Buffett de la siguiente manera:

- Haga una investigación profunda.
- Compre lo que conoce.
- Resista la presión de sus pares.
- Evite los riesgos.
- Aprenda de sus errores.
- Elimine la deuda.[14]

Estamos completamente de acuerdo con estas excelentes normas. Sea muy cuidadoso a la hora de invertir más allá de los primeros 4 niveles de la jerarquía de inversión en USTED, Inc., porque este es el punto en el que damos lugar al RIESGO en la fórmula.

Nivel cinco: Inversiones seguras

El quinto nivel de inversión es invertir en algo extremadamente seguro, como certificados de depósito, cuentas de mercado monetario y bonos municipales. Muchos asesores de inversión minimizan la importancia de estas inversiones porque su interés es muy bajo, pero también es significativo su bajo riesgo.

SOLO INVIERTA EL DINERO QUE PUEDE DARSE EL LUJO DE PERDER POR COMPLETO POR FUERA DE SU ÁREA DE CONOCIMIENTO. SI DECIDE INVERTIR, INVIERTA SOLO UN POCO EN ESAS EMPRESAS.

Tenga en cuenta: sus grandes réditos deberían originarse en el primer nivel, las inversiones en usted mismo y su empresa, no en los niveles cinco o superiores. Invierta solo una pequeña suma de dinero en el nivel cinco, e invierta en los niveles seis y siete aquello que pueda darse el lujo de perder por completo.

Nivel seis: Bienes raíces y acciones

Este nivel consiste en inversiones en bienes raíces y el mercado bursátil (incluyendo los fondos mutuos). Para muchos, el mejor consejo es evitar estas inversiones por completo. La excepción se da si su empresa se halla en estos rubros. De ser así, deberá pagar el precio de adquirir conocimientos reales en estas áreas (las 10.000 horas de las que hablamos antes). Rodéese de los asesores correctos, aprenda en base a prueba y error y conviértase en un experto.

Si los bienes raíces y el mercado bursátil no son su especialidad, solo invierta dinero en estos rubros si ya ha financiado la totalidad de los niveles anteriores de la jerarquía, y también puede permitirse la totalidad de la suma invertida. Y sólo invierta una pequeña cantidad en este nivel. Los niveles seis y siete son especulativos y siempre deben considerarse de esa manera.

Sobre todo, nunca firme nada donde sea responsable por más de lo que le corresponde. Existe una serie de inversiones que responden a este patrón, y son venenosas. Quienes venden la inversión pueden parecer muy capaces pero nunca se deshaga de su libertad económica de este modo.

En todas las inversiones, especialmente a medida que incremente su solvencia, recuerde siempre esforzarse por ganar como los adinerados y vivir como los de clase media (en términos de la relación entre sus ingresos y gastos). La frugalidad es sabia, y promueve más felicidad que el gasto excesivo y la inversión especulativa.

Nivel siete: Otras especulaciones

El nivel final de la jerarquía incluye otras áreas de especulación. A medida que gane más dinero, se convertirá en blanco de aquellos que buscan inversores. Tómese siempre el tiempo para investigar realmente y pensar bien todas las inversiones que esté considerando hacer. Como dijimos en el nivel seis, aquellos que fomentan las inversiones suelen parecer muy capaces pero no actúe hasta que haya reunido una gran cantidad de opiniones creíbles y haya estudiado la situación desde todos los ángulos.

7. EMPRESAS ESPECU-
LATIVAS, EMPRENDI-
MIENTO EN CIERNES,
INVENCIONES.

6. MERCADO BURSÁTIL,
BIENES RAÍCES.

5. CERTIFICADOS DE DEPÓSITO, CUENTAS DE
MERCADO MONETARIO, BONOS MUNICIPALES.

4. AHORROS
(TANTO A LARGO PLAZO COMO CON OBJETIVOS ESPECÍFICOS).

3. PREPARACIÓN PARA LA SUPERVIVENCIA.

2. FONDO DE EMERGENCIAS
(3-6 MESES DE GASTOS).

1. USTED MISMO.

Del nivel uno al cuatro se cubren básicamente los ahorros y los pasos principales de inversión en usted, mientras que del nivel cinco al siete constituyen especulación. La regla general es minimizar la inversión en todo (excepto los primeros cuatro niveles) lo que esté fuera de su área de dominio. Existen demasiados matices y detalles que quienes no cuentan con el dominio del campo no comprenden. De modo que si los bienes raíces constituyen su principal negocio, obtenga un verdadero dominio en el tema e invierta allí. En tal caso, los bienes raíces serían el nivel uno. Para cualquier otra persona, los bienes raíces se encontrarían en el nivel seis.

En síntesis, invertir fuera de su área de especialidad por lo general no es demasiado inteligente. Incluso si dicha inversión termina siendo rentable, casi siempre son inversiones muy complicadas y demandan mucho tiempo. Éstas requieren que divida su enfoque y que no le preste demasiada atención a su propio negocio o a su propósito de vida y al motivo primordial por el cual está tratando de ser solvente.

RECUERDE: Evite las empresas especulativas fuera de su área de especialidad. La distracción le quita valor a sus actos más significativos. Tenga cuidado de no dividirse.

Orrin Woodward escribió lo siguiente:

Como dice el viejo dicho: 'Un tonto y su dinero se separan pronto'. Lograr el éxito económico en un campo implica aplicar las estrategias correctas de manera constante. No obstante, uno no se convierte en experto en todos los emprendimientos que generan dinero, incluso cuando haya logrado la tarea. Como el mundo está repleto de oportunidades comerciales, a una persona le convendría permanecer concentrada en de su campo de experiencia. En otras palabras, la concentración es una de las claves para el éxito a largo plazo.

A pesar de leer y comprender estos conceptos, Chris y yo lo confirmamos directamente. Unos hombres mayores, a quienes escuchamos dar excelentes discursos sobre liderazgo, nos llamaron y nos pidieron que invirtiéramos en 'algo seguro' como socios capitalistas sin voto. Les dije que ninguno de nosotros era experto en el campo de la gastronomía y que por tanto probablemente no estuviéramos interesados.

Lamentablemente, después de numerosas llamadas telefónicas, me convencieron e invertimos. El grupo gastronómico pasó a abrir diez restaurantes en un par de años. Aunque parezca una locura, nadie se ocupaba de los números de manera adecuada y el costo de las operaciones estaba superando el ingreso de efectivo todos los meses. No conocíamos este sector del negocio lo suficiente para saber si los números estaban bien o si había algún problema, y nos aseguraban que todo funcionaba bien.

Lo que es peor, aunque tanto Chris como yo nos opusimos a firmar garantías personales, esto fue pasado por alto y tomado como una mera formalidad, y nos dijeron que las propiedades valdrían más que nuestras garantías.

Después de perder varios millones de dólares durante cinco años consecutivos, finalmente salimos del embrollo y ahora nos sentimos calificados para dar buenos consejos sobre este área. NO use, repito, no use el dinero ganado con esfuerzo en un rubro que comprenden para financiar el proyecto preferido de otra persona en un campo sobre el que no tienen el dominio adecuado. A menos que usted mismo esté involucrado el negocio, lo más probable es que otros no le dediquen la misma intensidad, determinación y atención a los detalles que usted volcó para generar su dinero en primer lugar.

NUNCA USE SUS AHORROS PARA ESPECULAR.

Familia y amigos

También es un caso especial cuando se involucran familiares y amigos. A medida que aumenta su prosperidad, los que lo rodean lo verán naturalmente como un inversor para sus proyectos. Si está pensando en prestar dinero a amigos y familiares, solo déselos. De lo contrario, se enfrentará a una desilusión y tendrá problemas en su relación. Si los proyectos de sus amigos o familiares generan ganancias, podrá sorprenderse gratamente. Pero rara vez lo hacen, de modo que entrégueles el dinero directamente o solo dígales: "No". Cualquier problema que surja por no invertir en sus planes será menos grave que invertir con la expectativa de una ganancia financiera real.

Pautas generales de inversión

Recuerde que habrá altibajos económicos, burbujas que se romperán y cambios en el mercado bursátil, guerras y rumores de guerras, muertes y enfermedades, accidentes y despidos, y otros desafíos inesperados, de modo que la clave para el éxito económico es convertir los principios de este libro en hábitos.

Estos hábitos son la mejor inversión para su economía. Desarrolle buenos hábitos económicos y respételos. Automatícelos para poder concentrarse en cosas de su vida más allá de su economía.

Puede que este enfoque no parezca seductor o moderno como aquellos sugeridos en muchos libros de inversión y los infomerciales nocturnos sobre "hacerse rico rápidamente", pero funciona. Los otros casi nunca funcionan.

Que quede escrito

Agregue lo que haya aprendido en este capítulo a su plan económico. Luego aplique estos principios de la solvencia.

Resumen de la Parte II: Posición ofensiva

- La posición ofensiva financiera significa tomar medidas para incrementar sus ingresos. Este es el primer enfoque de la solvencia más allá de los aspectos básicos porque hace hincapié en las actitudes de abundancia, liderazgo, innovación y empresariado.

- Los principios de ofensiva económica que se incluyen en la segunda parte son los siguientes:

  - PRINCIPIO 8: Las personas con la opinión correcta sobre el dinero se disciplinan para vivir los principios de la solvencia, tomar decisiones financieras en función de una visión a largo plazo, adoptar el hábito de la gratificación diferida y usar la acumulación del dinero a fin de alcanzar sus sueños.

  - PRINCIPIO 9: Las personas solventes son ávidos lectores e invierten siempre en ellos mismos en la profundización de su educación, experiencia, habilidades, conocimiento y aptitudes, tanto económicas como de liderazgo.

  - PRINCIPIO 10: Las personas solventes se destacan en sus trabajos y proyectos actuales sin dejar de invertir en sí mismos para lograr su visión a largo plazo.

  - PRINCIPIO 11: Nunca sacrifique sus principios ni por dinero ni por posesiones. Sea honesto. Mantenga su integridad. Mantenga sus prioridades en el orden correcto.

  - PRINCIPIO 12: Abóquese a especializarse en lo que hace (lleva alrededor de 10.000 horas).

  - PRINCIPIO 13: Las personas solventes no se preguntan: "¿Podemos pagarlo?", sino que se plantean:

"*¿Realmente* queremos esto? ¿Servirá a nuestro objetivo y sueño? *¿Cómo* lo hará? ¿De qué maneras podría ser una distracción? ¿Costará más dinero mantenerlo o sostenerlo (mediante cosas como seguros o tarifas anuales)? ¿Qué serviría más a nuestro objetivo y a nuestra visión, ahorrar o invertir un mismo monto? ¿Es *este* es el mejor momento para realizar esta compra o sería más económico, o simplemente mejor, para nuestra familia o negocio hacerla después?". Las personas solventes cultivan el hábito de negarse a realizar compras, incluso cuando pueden hacerlas sin problemas, y también de ahorrar o invertir gran parte de su dinero.

▷ PRINCIPIO 14: Las personas solventes analizan sus hábitos —tanto en la vida como en su economía— y trabajan para romper con los malos y cultivar los buenos. Las personas solventes consideran y eligen los hábitos que quieren y necesitan para lograr el sueño de su vida.

▷ PRINCIPIO 15: Sea dueño de su propio negocio, incluso si solo comienza trabajando en él medio tiempo. Puede aplicar todos los otros principios de este libro y acumular riquezas con el paso del tiempo, pero si los aplica en su propio negocio puede lograrlo con mayor rapidez.

▷ PRINCIPIO 16: Aumente su ingreso pasivo al punto de que ocurra lo siguiente: 1. la mayor parte de su ingreso sea pasivo, y 2. pueda vivir de su ingreso pasivo.

▷ PRINCIPIO 17: La jubilación no debe ser una cuestión de edad, sino que debe basarse en contar con suficiente ingreso pasivo para mantenerse de por vida. La jubilación implica apartarse de las cosas que no son parte de su objetivo para que pueda concentrarse en el trabajo fructífero de la misión de su vida.

➤ PRINCIPIO 18: Para lograr el verdadero éxito económico, concéntrese en estas cosas: 1. Destáquese verdaderamente en su trabajo y en sus proyectos actuales y simultáneamente inicie su propio negocio. 2. Dedique las 10.000 horas que se necesitan aproximadamente para obtener el conocimiento de su negocio sin dejar de distinguirse en su trabajo actual. 3. Haga un plan para lograr la libertad económica alcanzando el punto en el que el ingreso pasivo de su negocio supere las necesidades de su familia. 4. Finalmente, una vez que tenga libertad económica, concéntrese en desarrollar su negocio hasta que cubra su objetivo de vida. Todos estos pasos requieren la máxima concentración, y deben realizarse uno por vez. Cuando haya logrado uno de ellos, pase al siguiente y préstele el mismo nivel de atención.

➤ PRINCIPIO 19: Encuentre buenos asesores y realmente escúchelos.

➤ PRINCIPIO 20: Use el dinero en forma productiva: ubíquelo allí donde le devuelva más de lo que invierte, en vez de gastarlo sin frutos. En lo mejor que puede invertir es en usted y en su negocio. Use parte de sus ahorros con sabiduría y de forma adecuada para aumentar sus activos y ganancias comerciales.

➤ PRINCIPIO 21: Aparte dinero a fin de prepararse para el peor escenario posible. No se convierta en un fanático de esto, pero tampoco lo ignore.

➤ PRINCIPIO 22: Genere un fondo de ahorros con objetivos específicos para las cosas que quiere comprar más adelante. Incremente este fondo en forma constante y compre artículos de consumo en efectivo (sin financiación).

- ➤ PRINCIPIO 23: Solo invierta fuera de su área de especialidad aquel dinero que puede darse el lujo de perder por completo. Si decide invertir, solo invierta un poco en esas empresas.
- ➤ PRINCIPIO 24: Nunca use sus ahorros en especulaciones.

- Asegúrese de tomarse un momento y pensar cómo usar todos estos principios en su vida, y agregarlos a su plan económico por escrito.

POSICIÓN DEFENSIVA

"¡AL MARISCAL DE CAMPO!"

Se dice que el mejor ataque es una buena defensa, y viceversa, y en el juego del fútbol americano, el primer enfoque de defensa es llegar al mariscal de campo. Imagine que pudiera volver a tener literalmente todas las monedas de 25 centavos que tuvo en su vida. ¿Cuánto dinero habría en su cuenta bancaria en este momento? En la Tercera parte, aprenderemos los principios de cuidar sus recursos y protegerlos contra las pérdidas y los obstáculos. La defensa se apoya en los principios fundamentales de la solvencia y garantiza que pueda vivir sus sueños.

"No intente convertirse en un hombre exitoso sino en un hombre de valores".
—ALBERT EINSTEIN

"Una de las grandes piezas de la sabiduría económica es conocer lo que no sabe ahora".
—JOHN KENNETH GALBRAITH

DIECISÉIS

Mitos sobre la deuda

"Le cambio un dólar por cinco dólares".
—JAROD KINTZ

Comencemos este capítulo con una pregunta de múltiples opciones. La cita anterior proviene de:

A. ¿un organismo del gobierno?
B. ¿un aviso comercial para una nueva tarjeta de crédito?
C. ¿un comediante?

La respuesta es C, un comediante, pero podría provenir de cualquier campaña comercial para comprar algo con crédito. Cuando nos endeudamos para realizar una compra, terminamos pagando más (por lo general *mucho* más) de lo que originalmente costaba el artículo.

A nadie le gusta estar endeudado, pero irónicamente, casi todos tenemos demasiada experiencia en ello. Si tiene una deuda, le espera una suerte de esclavitud económica. Cualquier persona que haya permanecido despierto gran parte de la noche sintiendo en el pecho el dolor de una deuda abrumadora sabe lo importante que es ser solvente. El primer enfoque de la defensa económica es librarse de las deudas lo más rápido posible.

DESHÁGASE DE LA DEUDA.

Los mitos más grandes

Existe una cantidad de mitos en torno a las deudas. Uno es que la deuda es una excelente herramienta para crear prosperidad. No lo es. Es una de las principales cosas que retrasa todo tipo de éxito económico. Aquellos que sugieren que la deuda es una herramienta importante para generar riquezas están confundidos. Sí, la deuda como influencia de inversión puede tener un efecto multiplicador positivo cuando se realiza dentro de los límites de la categoría de inversión (tratada anteriormente) pero a menudo las personas utilizan esto como excusa para comprar cosas a crédito.

Específicamente, la deuda comercial en algunos puntos puede ser útil para impulsar un proyecto pero esta es la excepción en lugar de la regla. En tales casos, encontrar la forma de hacerlo sin endeudarse es casi siempre la mejor forma que usar el enfoque de la deuda. Y comprar cosas a crédito, como lo analizamos anteriormente, nunca es bueno.

Lamentablemente, las personas suelen comprar cosas en cuotas pensando que tienen un propósito comercial y que por lo tanto está bien hacerlo de esa manera. Este es un grave problema para muchas personas.

SI NO TIENE SOLIDEZ ECONÓMICA, NO QUEDE ATRAPADO EN LA MARAÑA DE «DEUDAS COMERCIALES».

La regla es que la deuda es mala. Evítela en casi todas las situaciones. Las únicas excepciones posibles son la compra de una casa (ya hablaremos más al respecto) o la adquisición de deuda comercial legítima cuando el financiamiento es la mejor opción. Tenga en cuenta que aquellos que usan la deuda comercial de manera efectiva casi siempre son lo suficientemente solventes para comprender realmente cuándo y dónde la deuda puede ser útil. Si no ha logrado una solvencia duradera, no está a este nivel.

Otro mito sobre la deuda es que usted debe mejorar su situación crediticia con una tarjeta de crédito. Esta es una tentación para contraer enormes deudas. De hecho, este peligroso proceder suele recomendarse a personas jóvenes o personas que se han declarado en bancarrota y son precisamente quienes no deben tener tarjetas de crédito.

Lo más recomendable para mejorar su situación crediticia es ahorrar, estar siempre preparado para emergencias (tener un fondo de emergencia), pagar sus cuentas a tiempo sin demora, y ganar dinero suficiente para cubrir sus necesidades y dejar algo aparte. Si en verdad usa una tarjeta de crédito y la paga en su totalidad todos los meses, sin excepción, seguramente tendrá una buena situación su crédito. Pero el 95% de las personas que usan la excusa de "las tarjetas de crédito mejoran mi crédito" terminan hundiéndose en más deudas. No caiga en esta trampa.

NO USE TARJETAS DE CRÉDITO PARA MEJORAR SU SITUACIÓN CREDITICIA PORQUE ESTO CASI SIEMPRE LLEVA A QUE LAS PERSONAS CONTRAIGAN MAYORES DEUDAS.

Más mitos sobre la deuda

Otros mitos sobre la deuda son que las siguientes ideas son buenas opciones financieras:

- Empeño de títulos
- Préstamos "a noventa días, igual que efectivo"
- Préstamos del día de pago
- Planes de alquiler con opción a compra
- Deudas con reserva

Cualquier cosa como estas es una mala idea: como una granada de mano cubierta de chocolate. Son el equivalente de la solvencia a las barras de chocolate y los copos de algodón azucarados. Son muy, muy malos para usted. Ni siquiera son instrumentos financieros realmente convenientes; son operaciones falsas y lo involucran cada vez en más problemas.

Evítelos como a la peste. Encuentre otras opciones o niéguese.

**NUNCA EMPEÑE TÍTULOS, NI APROVECHE LOS PRÉSTAMOS
«A NOVENTA DÍAS, IGUAL QUE EFECTIVO», PRÉSTAMOS DEL
DÍA DE PAGO, PLANES DE ALQUILER CON OPCIÓN A COMPRA,
DEUDAS CON RESERVA, NI ESQUEMAS SIMILARES.**

Comprendemos que a veces simplemente tiene que usar el crédito, por ejemplo, cuando los niños se enferman o se lastiman y aún no ha acumulado un fondo de emergencia. En tales circunstancias, puede necesitar usar sus tarjetas de crédito. Pero incluso en dichas circunstancias, se deben evitar por completo estos tipos de esquemas de préstamos de "empeño".

Mitos sobre préstamos para comprar automóviles

Tal vez los mitos más grandes en torno a las deudas tienen que ver con los préstamos para comprar automóviles. Esta también es una forma para identificar claramente si se encuentra en camino hacia la solvencia o en otra dirección.

Las personas que recurren al crédito para comprar automóviles se encuentran en camino a problemas financieros. No recurra a la deuda para comprar automóviles. Los mitos dicen que el financiamiento de automóviles es conveniente, pero no es así. Encuentre otra forma. Compre un automóvil usado. Planifique con anticipación y ahorre hasta que pueda pagar en efectivo. Conduzca su vieja chatarra hasta que tenga el dinero para algo mejor.

Este es un problema de mentalidad porque algunas personas piensan que los automóviles nuevos son lo único que vale la pena comprar. Si puede pagar con efectivo un automóvil nuevo, genial. Pero tal como descubrieron los autores del libro de investigación *El millonario de al lado*, la gran mayoría de las personas que realmente pueden comprar un automóvil nuevo (con facili-

177

dad) no se lo compran. Ellos compran automóviles usados con pocas millas. Y los pagan en efectivo.

Hacen esto porque ven a los vehículos como transportes, no como símbolos de estatus o nuevas chucherías relucientes. Si quiere ser solvente, siga este ejemplo.

CONSIDERE SUS AUTOMÓVILES COMO MEDIOS DE TRANSPORTE, NO SÍMBOLOS DE ESTATUS. AHORRE Y PÁGUELO SIEMPRE EN EFECTIVO.

Trabaje para que su mentalidad esté en el lugar correcto respecto de los automóviles. Constituyen un medio de transporte. No son inversiones comerciales. No son símbolos de estatus, salvo porque crean una sensación de falso estatus para el propietario frente a las clases inferiores pero en realidad está en quiebra.

Además, no compre según los mitos del marketing sobre renta con opción a compra. Solo compre y pague en efectivo. Rentar automóviles es una excelente forma de desperdiciar dinero. El automóvil pierde alrededor del 25% de su valor en el primer año y hace que el titular cargue con el costo de esta devaluación. Luego le insisten asiduamente con costos exorbitantes por millas extras y otros gastos.

En este sentido, no se deje atrapar por campañas de marketing que ofrecen préstamos con 0% de interés. Podría pensar que está ahorrando dinero por no tener que pagar intereses pero le seguirán insistiendo con la pérdida del valor apenas salga del estacionamiento. Además, la deuda es deuda, y los automóviles no la valen.

Recuerde: una deuda es esclavitud. Un automóvil comprado en cuotas se deteriorará más rápido de lo que la mayoría de las personas demora en terminar de pagarlo. Esto significa que en cuestión de meses, el automóvil ya no será un nuevo y reluciente símbolo de estatus sino que deberá seguir trabajando para pagarlo incluso cuando ya no lo tenga.

Los mitos sobre los automóviles en cuotas han impedido que muchas personas sean solventes. No se deje embaucar por estos mitos. Después de todo, ¡son mitos!. Sea inteligente en sus elecciones relativas al transporte. Este será un enorme beneficio para que se convierta en una persona solvente.

Si en verdad quiere cierto automóvil, está bien. Siga los otros principios de la solvencia y ahorre dinero para poder pagarlo en efectivo. Esta es la forma del éxito económico.

Por ejemplo, Chris Brady, muy avanzado en su carrera comercial, se fijó una meta para comprar un Corvette convertible. Eligió hacer uso de su deseo para lograr ciertas metas comerciales y económicas antes de permitirse la compra. De esta forma, la compra del Corvette sería una recompensa por un logro en lugar de una gratificación materialista.

Al cabo de casi nueve meses, Chris había logrado ambas metas comerciales y económicas para comprar el automóvil. Pero esperó. Todavía estaba entusiasmado con la adquisición pero quería tomarse su tiempo y encontrar el vehículo indicado. Pasaron seis meses más. Luego, un día al pasar por la concesionaria Chevy, Chris distinguió dentro de una larga fila de Corvettes el automóvil exacto que quería comprar.

Increíblemente, también estaba en venta con un gran descuento. Chris hizo la compra en menos de diez minutos. Lo que le resultó abrupto y espontáneo al vendedor de automóviles, en realidad era el trabajo de casi un año y medio. Al programar de esta forma la compra del automóvil, Chris pudo no solo adquirir impulso para un mejor rendimiento sino que además desarrolló una paciencia que le permitió ahorrar miles de dólares en la compra.

Otros tres mitos importantes sobre el dinero

Otro gran mito es que las tarjetas de crédito son más seguras que las de débito y que debe tener una tarjeta de crédito para viajar en avión, reservar una habitación de hotel o alquilar un automóvil. Sin embargo, las tarjetas de débito son excelentes para esto. Debitan efectivo. Y siempre que siga los principios económicos que se tratan en este libro, podrá administrar sabiamente su tarjeta de débito.

De hecho, si aplica los principios que se trataron hasta ahora, probablemente tenga la disciplina para usar una tarjeta de crédito solo para gastos de viaje y luego pagarla en su totalidad todos los meses. En otras palabras, puede usar una tarjeta de crédito como tarjeta de débito. En caso contrario, use una de débito.

La clave es pagar todo ahora. Pague todo a medida que consuma.

> **La clave es pagar todo ahora. Pague todo a medida que consuma.**

Las firmas de comercialización de crédito también han tratado de convencer a nuestra sociedad de que debemos darles tarjetas de crédito a los niños, cuanto más jóvenes mejor, para que aprendan a usar la deuda. Este es otro mito dañino. La mayoría de los jóvenes simplemente aprenden a gastar, gastar y gastar, dejándoles a los adultos la tarea de sacarlos de apuros. Esto es lo contrario a inculcarles las nociones de una buena solvencia.

PARA MUCHAS PERSONAS, LAS TARJETAS DE DÉBITO SIEMPRE SON MEJORES QUE LAS DE CRÉDITO; EL EFECTIVO ES INCLUSO MEJOR.

Los jóvenes pueden aprender usando efectivo, cheques, o incluso y eventualmente, una tarjeta de débito. Las tarjetas de crédito prepagadas también pueden funcionar. Explíqueles los principios del éxito económico, y reúnase con ellos todas las semanas o meses para hacer un balance de su chequera, registrar el dinero utilizado o el resumen de la tarjeta de crédito. Invítelos a leer este libro y aprender los cuarenta y siete aspectos fundamentales sobre la solvencia cuando sean jóvenes, y luego ayúdelos a seguir estos principios.

ENSÉÑELES A SUS HIJOS Y A LOS JÓVENES SOBRE LOS PRINCIPIOS DE LA SOLVENCIA. ENSEÑE CON EL EJEMPLO. ORIENTARLOS LES SERVIRÁ A ELLOS Y TAMBIÉN A USTED.

Información exclusiva sobre las segundas hipotecas

Otro grave mito financiero es que las segundas hipotecas constituyen una buena política económica. Esto sigue el mismo principio que la deuda comercial: si es adinerado, podría usar una segunda hipoteca para un propósito inteligente. Las demás personas deben evitar por completo las segundas hipotecas.

SI NO ES RICO, NO SE DEJE TENTAR POR SEGUNDAS HIPOTECAS.

En realidad, casi todos los que son adinerados las evitan también.

Que se cumpla

Determine cómo aplicará todos los principios de este capítulo y agregue sus intenciones a su plan económico por escrito.

DIECISIETE

Salir de la deuda

"El hombre que hace más de lo que le pagan por hacer pronto cobrará por más de lo que hace".
—NAPOLEON HILL

El día que pague por completo la última de sus deudas será uno de los días más importantes de su vida. Afortunadamente, sus hijos y nietos nunca tendrán que vivir esta experiencia porque aprenderán y vivirán según los principios de la solvencia en base a su ejemplo, y por consiguiente, nunca se endeudarán.

Sin embargo, si ya se encuentra endeudado, el día que pague por completo esa deuda será un gran recuerdo. Puede derramar algunas lágrimas, saltar alto en el aire y pegar un grito de felicidad, o puede encontrarse rezando plegarias de agradecimiento. Tal vez haga las tres cosas, como lo hicieron muchas personas cuando se liberaron de la esclavitud financiera.

Esto no quiere decir que las deudas sean tan malas como la esclavitud real, pero cuando la mayoría de las personas se liberan de las deudas, sienten como si les sacarán un peso de un millón de kilogramos de encima.

Por ejemplo, Nick y Kelly no podían progresar aunque tenían varios empleos. Se preocupaban por pagar todas las cuentas de sus hijos y su familia. Estaban endeudados y luchaban para poner sus cuentas en orden, y habían atravesado pérdidas de trabajo y períodos de desempleo cuando se encontraron con el material tratado en este libro.

Decidieron hacer todo lo que fuera para aprender la disciplina necesaria para salir de las deudas. Tomaron decisiones difíciles y redujeron su presupuesto todo lo que pudieron. Vendieron incluso algunas preciadas pertenencias, como un Hombre Araña coleccionable tamaño natural que Nick había conservado durante años, para pagar por completo sus deudas.

"Fue difícil," comentó. "Todos mis amigos sabían que me encantaba ese Hombre Araña pero habíamos decidido desendeudarnos y estábamos preparados para hacer lo que fuera necesario para seguir con nuestro compromiso". En poco más de un año y medio, Nick y Kelly cancelaron por completo sus deudas y vivieron un estilo de vida totalmente en efectivo. Kelly pudo quedarse en su casa todo el tiempo con sus hijos como siempre quiso. "Es mucho mejor encargarse de tu economía en lugar de que ella se encargue de ti," expresó Kelly.

El método de la reestructuración

Pero, ¿exactamente cómo se libera uno de las deudas? La respuesta es simple. En realidad, si vive según los principios que ya hemos cubierto en este libro, será bastante directo. De lo contrario, si sigue evitando los principios de la solvencia, liberarse de las deudas podría resultarle muy difícil.

Así es como funciona. En primer lugar, incluso si tiene deudas, siga invirtiendo en usted el 10% de sus ingresos, pero no más de ese monto. Invertir en usted primero y pagar el diezmo y las ofrendas le han inculcado disciplina. En síntesis, sabe cómo guardar dinero, cómo negarse a comprar cosas y vivir según sus propios medios. Y no aumenta su deuda porque no compra nada más en cuotas, para nada. Al aplicar los principios de este libro, cambia su corazón y mente en pos de una actitud solvencia. Esto hace que cancelar las deudas sea mucho más simple (y probable) que si no ha desarrollado ninguno de estos hábitos. De modo que felicítese por haber logrado estos positivos hábitos de la solvencia. Ese es el primer paso.

En segundo lugar, pague por completo sus cuotas, en especial las de tarjetas de crédito. El interés en las tarjetas es alto, y es esencial pagarlo por completo. Use las habilidades de ahorro que ha aprendido y aplíquelas ahora para librarse de las deudas.

La idea del método de reestructuración de la deuda es sencilla: haga una lista de sus tarjetas ordenándolas del menor al mayor saldo. Si tiene que elegir entre dos tarjetas con poco saldo, pague primero la que tenga el mayor interés. El objetivo es librarse del desbarajuste de todos los pagos pequeños y cancelar primero las deudas más fáciles. Decida sobre un porcentaje o monto de dinero fijo que pueda agregar todos los meses a los pagos mínimos de sus deudas y automatice esto todo lo que pueda.

Si guarda dinero en una cuenta de ahorros destinados a una compra específica planificada, puede dejar de colocar dinero durante unos meses para poder pagar toda esta tarjeta.

Si percibe ganancias o ingresos inesperados, agréguelos a la tarjeta con mejor saldo. Venda cosas de su garaje o depósito, u otras cosas que no necesita. El objetivo es terminar con el saldo de su tarjeta lo más rápido posible.

Identifique tres cosas que suele comprar y prívese de estas cosas hasta que haya pagado esta tarjeta por completo. Destine el dinero que hubiera gastado en estos tres artículos directamente a su tarjeta. Estos gastos podrían incluir cafés, refrescos, dulces u otros gustos, salir a comer afuera durante los próximos dos meses, hacerse las uñas, el teléfono celular extra en su hogar, o algo parecido.

Tal vez pueda hacer uso compartido de su automóvil para ahorrar combustible o solo conducir a la ciudad una vez por semana en lugar de hacerlo cuando se le ocurra. Use las habilidades que aprendió antes cuando estaba concentrado en ahorrar, como estar en la misma sintonía con su cónyuge y decir "No" a corto plazo para lograr sus metas largo plazo.

El próximo paso

En tercer lugar, una vez que haya pagado la primera tarjeta en su totalidad, mantenga el mismo monto para la tarjeta con el siguiente saldo más bajo. Aplique un enfoque similar y pague esta tarjeta en su totalidad, lo más pronto posible. Para ser claros, cada vez que pague del todo una tarjeta, agregue al pago de su siguiente tarjeta lo que pagaba por su otra tarjeta. De modo que cuando pague una deuda en su totalidad y reestructure el pago de la siguiente, ganará impulso. Siga haciendo lo mismo con cada tarjeta hasta que haya cancelado las deudas de sus tarjetas de crédito. En ese punto, aplique el mismo método de reestructuración a sus otras deudas, comenzando con las que tienen las mayores tasas de interés.

USE EL MÉTODO DE LA REESTRUCTURACIÓN PARA PAGAR TODAS LAS DEUDAS DE TARJETA DE CRÉDITO Y LUEGO APLÍQUELO A TODAS SUS OTRAS DEUDAS.

El cuadro a continuación muestra un ejemplo de cronograma de pago mensual con el método de reestructuración de la deuda.

	Deuda 1	Deuda 2	Deuda 3	Deuda 4	Deuda 5
Mes 1	$50	$130	$225	$250	$300
Mes 2	$50	$130	$225	$250	$300
Mes 3	$50	$130	$225	$250	$300
Mes 4	$50	$130	$225	$250	$300
Mes 5	*➡	$180	$225	$250	$300
Mes 6		$180	$225	$250	$300
Mes 7		$180	$225	$250	$300
Mes 8		$180	$225	$250	$300
Mes 9		$180	$225	$250	$300
Mes 10		*➡	$405	$250	$300
Mes 11			$405	$250	$300
Mes 12			$405	$250	$300
Mes 13			$405	$250	$300
Mes 14			$405	$250	$300
Mes 15			*➡	$250	$300
Mes 16				$655	$300
Mes 17				$655	$300
Mes 18				$655	$300
Mes 19				$655	$300
Mes 20				$655	$300
Mes 21				*➡	$955
Mes 22					$955

* A medida que cancela cada deuda, el monto abonado se agrega al pago de la próxima deuda, a la derecha.

A continuación se incluye una copia del formulario de Reestructuración de la deuda disponible en el libro de ejercicios. Este ejemplo muestra una lista de deudas desde el menor hasta el mayor saldo. El monto total de los pagos mínimos equivale a $440. Una vez que haya cancelado toda la deuda de la primera tarjeta, agregue los $20 que destinaba a pagar esa deuda al pago de la segunda. El nuevo pago (que siempre es el total de los pagos de las deudas anteriores más el de la actual) para la segunda deuda es ahora de $60 y se siguen destinando $440 a la deuda total. El siguiente ejemplo muestra cómo se verá lucir su formulario a medida que salde por completo las deudas:

Reestructuración de la deuda

Artículo	Liquidación total	Pago mínimo	Tasa de interés	Nuevo pago
Tienda departamental	$500	$20	18%	$20
Tienda de muebles	$1000	$40	22%	$60
MasterCard	$2000	$80	19%	$140
American Express	$3000	$120	19%	$260
Visa	$4500	$180	20%	$440

Sin el método de reestructuración de deudas, le llevaría trece años pagar por completo estas deudas, y pagaría $7.139 en intereses. Con el método de reestructuración de deudas, le llevaría solo *dos años y nueve meses* pagarlas en su totalidad y se ahorraría *$3.890* en intereses.

Este ejemplo utiliza solo los pagos mínimos. Imagine lo rápido que podría funcionar este método de reestructuración si se agregara un monto de dinero fijo todos los meses. Si agrega $50 por mes a este ejemplo, la deuda quedaría cancelada totalmente en dos años y seis meses, y se ahorraría $4.275 en intereses. Si se agregan $100 por mes a este ejemplo, la deuda quedaría cancelada totalmente en dos años y tres meses, y se ahorraría $4.578 en intereses. Y si agrega $200 extras todos los meses podría pagar la deuda en su totalidad en un año y diez meses mientras ahorra casi $5.000 en intereses.

El método de reestructuración le permite reducir la deuda más rápidamente porque sus pagos mínimos desaparecen cuando se paga una tarjeta en su totalidad y ese monto se destina a cancelar la deuda de la siguiente tarjeta. Como mencionamos anteriormente, si le llevó diez años endeudarse, podría llevarle diez repararlo. Pero con el método de reestructuración, lo hará lo más rápidamente posible.

Además, al concentrarse en una ofensiva económica y los principios de la Primera y Segunda parte de este libro, el incremento natural de sus ingresos le será de ayuda en este proceso. Desde luego que esto no es automático, dados los altibajos de la economía, pero si aplica todos los principios mencionados hasta ahora en este libro, sus esfuerzos para librarse de las deudas se multiplicarán significativamente.

Una de las mejores cosas sobre los principios de la solvencia es que a medida que los aplica, los demás principios suelen volverse más fáciles. Existe una sinergia que se da cuando sigue cada vez más de estos principios.

Por ejemplo, Marc y Kristine Militello experimentaron un sorprendente giro en la rigurosa aplicación de los principios de la solvencia. Marc era maestro y entrenador, y Kristine se quedaba en la casa criando a sus cuatro hijos, menores de siete años, incluso un bebé recién nacido. Ganaban alrededor de UDS 75.000 por año pero tenían deudas por UDS 106.000. De hecho, su cocina tenía solo un quemador, y su refrigerador era tan antiguo que se rompieron los soportes y tuvieron que comprar tacos para colocarlos debajo de los estantes para sostener los alimentos. Su hogar tenía 1.000 pies cuadrados y tenían problemas para pagar sus cuentas.

Esta realidad resultaría desafiante para la mayoría de las personas pero Marc explicó: "Cuando comenzamos a tratar de desendeudarnos, no teníamos demasiado dinero; solo teníamos que comenzar desde donde estábamos con lo que teníamos".

Lo primero que hicieron fue anotar todo lo que gastaban durante treinta días: todo, incluso diez centavos. Descubrieron que sus grandes derroches de dinero eran tomar un refresco o un aperitivo en la estación de servicio y perder el registro de cuánto gastaban porque simplemente usaban sus tarjetas de débito en lugares de comidas rápidas con servicio en el automóvil.

Aportaron muchas ideas sobre cómo evitar estos gastos, incluso llevar sus propios aperitivos cuando salían para evitar la comida rápida y dejar la cena en una olla desde temprano para no tentarse de pedir pizza para cenar.

Luego tuvieron que enfrentar la brutal realidad de sus gastos y elaborar un presupuesto inicial efectivo. Marc comentó: "Si no anota exactamente lo que gasta durante un mes, su presupuesto presentará fallas desde el principio. Después de crear un presupuesto inicial, dividimos nuestro dinero para cada área de gastos y lo colocamos en sobres. Marcamos cada sobre de tamaño oficio con un monto y el propósito de ese dinero. Luego anotamos lo que gastamos cada vez que usamos dinero del sobre y escribimos el gasto allí mismo en el sobre para que todos lo pudieran ver".

Kristine expresó:

Hacer esto me enseñó verdaderamente lo mal que manejaba el dinero. Pude ver directamente lo que hacía con el dinero: lo movía de un lado al otro y no cumplía con los parámetros. Por ejemplo, iba a la tienda de comestibles y sacaba del dinero de la gasolina. Luego, al finalizar la semana, me quedaba sin dinero para la gasolina y tenía que sacar dinero de otro sobre.

Esto me demostró que no estaba respetando el presupuesto. Si en verdad tiene un problema de presupuesto, algunas semanas de legítima revisión le demostrarán con claridad que el monto de dinero asignado es incorrecto y lo debe modificar. Sin embargo, la mayoría de las veces el problema es simplemente una cuestión de no cumplir con el monto de dinero asignado.

Durante este tiempo, no utilizamos para nada las tarjetas de débito, solo efectivo y los sobres grandes, porque antes de eso, no teníamos ni la menor idea en qué gastábamos. Comprendo que una persona puede ir al hogar y revisar los estados de cuenta bancarios a través de internet y calcular los gastos. Los problemas con este enfoque son los siguientes: 1. Los gastos no siempre se publican de inmediato, y 2. cuando llega la cuenta, es demasiado tarde, y ya ha gastado más en otras cosas.

Piense en el sistema de sobres con efectivo como ruedas de apoyo. Después de algunos meses de hacer esto, podrá saber cuáles son en verdad sus gastos y necesidades, y estar preparado para tener un presupuesto sólido e inamovible. La clave es que alguien tiene que cumplirlo y protegerlo y el otro tiene que seguirlo. Si la línea se mueve, nunca aprenderá a permanecer dentro de ella.

> «El presupuesto no es una línea dibujada en la arena. Es una muralla de piedra».
> **Kristine Militello**

El presupuesto no es una línea dibujada en la arena. Es un muro de contención.

Agregó Marc:

Tape los agujeros del barco: ¡Deje de gastar dinero que no tiene! Elimine la emoción y haga lo correcto. Usted no podrá comprender los aspectos básicos de sus deseos y necesidades hasta que no siga todos estos pasos. Sin una comprensión de lo que tiene y lo que no tiene, ni siquiera podrá darse cuenta de lo que está gastando por emoción.

Una vez que comprenda cuánto tiene y hacia dónde debe ir, entonces entenderá verdaderamente lo que está haciendo con el dinero. Ahora puede preguntarse claramente si es un deseo o una necesidad. Contar con más dinero no soluciona el problema hasta que realmente entienda su economía y se haga cargo de ella.

> «Contar con más dinero no soluciona el problema hasta que realmente entienda su economía y se haga cargo de ella».
> Marc Militello

Con el tiempo y con un arduo trabajo y disciplina personal, Marc y Kristine aplicaron los principios del éxito económico y fueron solventes. Hoy en día viven en una gran casa de tres acres y manejan un Mercedes y un Cadillac. Marc resumió su experiencia: "Ni yo mismo puedo creerlo". Los principios de la solvencia funcionaron.

Conseguir ayuda

Es posible fusionar sus deudas en una sola tarjeta para que pague menos en cuotas mínimas y así aplicar más al capital principal en cada pago. Algunas tarjetas le permiten transferir saldos de otras sin cargo. Pero estas técnicas de fusión de deudas pueden ser muy peligrosas y son solo para aquellos con mucha disciplina. Cuando las deudas se fusionan en un pago mensual más pequeño, muchas personas terminan usando el dinero extra para comprar más cosas en cuotas y se meten en un agujero más profundo.

Existen compañías que ayudan a las personas a consolidar sus pasivos y realizar pagos automáticos para reducir la deuda. No obstante, tenga cuidado con dichas compañías. Algunas de ellas son estafas absolutas y otras cobran tarifas exorbitantes. Pero si le resulta difícil completar el pago total de sus tarjetas y otras deudas cada vez que le pagan, la búsqueda de ayuda podría ser su mejor plan. Cualquiera sea el camino que tome, pague las deudas de sus tarjetas de crédito en su totalidad, guarde ahorros, siga un presupuesto, no compre más cosas en cuotas y utilice el método de la reestructuración para salir de las deudas.

En ocasiones, los acreedores negociarán un trato con alguien que pueda aportar una suma de dinero, incluso si es más pequeña que el saldo adeudado. Un gran saldo a menudo se puede pagar en su totalidad por un monto menor.

Ponerlo en práctica

Asegúrese de implementar este plan para salir activamente de las deudas de inmediato. Esto solo mejorará radicalmente su economía.

DIECIOCHO

No sea normal

"Si le ofrecieran la oportunidad de vivir su propia vida otra vez, ¿aprovecharía la oportunidad?"
—CHRISTOPHER HITCHENS

Las personas comunes están en quiebra. No sea normal en lo referente a economía. Las personas normales confían en sus emociones sobre el dinero, y como resultado, sus economías son un desastre.

No confíe en sus emociones sobre el dinero, en especial en cuanto al gasto y el uso de la deuda. Existe un "norte verdadero," una realidad, una mejor forma de usar el dinero, y las emociones de las personas casi siempre se alinean con esta verdad. Es por eso que contar con un mentor financiero puede ayudarlo mucho a ser solvente, y es esencial saber y seguir los principios de la solvencia, en lugar de sus emociones o antiguos hábitos.

De modo que no sea normal cuando se trata de dinero. Sea la excepción: uno de los pocos que comprende y aplica estos principios de manera consistente, siempre.

Si es la excepción en cuanto al dinero, tendrá una solvencia excepcional y podrá vivir una misión de vida excepcional. No se quede en la mediocridad. ¡Viva la grandeza para la que nació! Conviértase en ese líder pensado por Dios.

> **Las personas comunes están en quiebra. No sea común en lo referente a la economía.**

Los dos grandes obstáculos

Existen dos cosas que le impiden ser excepcional con el dinero y vivir los sueños de su vida de manera excepcional. La primera proviene de bloqueos mentales, malentendidos y creencias falsas que lo refrenan y alejan del éxito.

Si no está de acuerdo con alguno de los principios del éxito económico mencionados en este libro, se encontrará en un terreno peligroso. Lamentablemente, existen muchas modas económicas. No les preste atención. Los principios de este libro funcionan. No se distraiga con las modas. Siga los principios firmes y comprobados de la solvencia.

Un segundo motivo principal por el cual las personas no alcanzan la solvencia es que se dejan influenciar por el poder masivo del marketing y los medios de comunicación. Las compañías dedican millones de dólares a contratar especialistas en marketing que analizan cómo hacer que las personas compren sus productos y servicios, incluso cuando no pueden pagarlos y cuando deben realizar compras a crédito.

Los mensajes y campañas de publicidad que promocionan influyen e incluso pueden cambiar la forma de pensar de las personas. Muchos gobiernos hasta participan del juego reforzando estas creencias y alentando más gastos de consumo y compras a crédito.

Algunos códigos impositivos empeoran la situación penalizando los ahorros (es decir, si ahorra dinero, paga impuestos sobre él pero si lo gasta en algunas cosas, como un gran camión o un vehículo utilitario, a menudo puede considerarlos como un gasto; además las deducciones impositivas de hipotecas incentivan la compra de un hogar, cuando una familia no pueda pagarla realmente).

A muchas personas les resulta difícil resistir el mero peso de tanto marketing e incentivos. Una vez más: para ser excepcional a nivel económico, no puede ser simplemente normal.

196

APRENDA A SER ESCÉPTICO A LAS PUBLICIDADES, LOS MEDIOS Y AL MARKETING.

La regla de los mejores cinco

La comprensión de la "Regla de sus mejores cinco amigos" puede ser un impulso poderoso para su economía. Las personas tienden a inclinarse por lo que ven que sus amigos más cercanos tienen, y existe un antiguo dicho en los negocios que su expresa que economía tenderá a reflejar el promedio de la capacidad económica de sus cinco amigos más cercanos.

Si bien esto no siempre es el caso para todas las personas, el principio general sigue corroborándose. Si dedica su tiempo a personas que valoran los gastos y las ideas promocionadas por nuestra cultura del marketing (como usar la deuda para tener lo que quiere de inmediato o impresionar a sus amigos solo comprando ropa de diseñador y automóviles nuevos), es muy probable que se contagien esos malos hábitos.

Por el contrario, si sus amigos más cercanos valoran el ahorro, no tener deudas, el crecimiento comercial, el liderazgo, la abundancia, dar, servir, la gratificación diferida y la inversión en bienes de calidad en lugar de solo gastos, su entusiasmo probablemente influya sobre usted, y sus decisiones económicas.

Independientemente de las personas con las que pase tiempo, ser solvente significa adoptar este segundo conjunto de valores y rechazar la primera lista.

Cuando su mentalidad está enfocada en la inversión en lugar de estar enfocada en el gasto, es más fácil aplicar los principios de la solvencia. Enseñar los valores correctos a sus jóvenes y niños es muy importante porque a menudo se los bombardea con el enfoque del gasto y el crédito en la economía y en la vida.

Una vez más: ser normal es una mala idea en una sociedad en la que las personas normales están en bancarrota y profundamente endeudadas. Encuentre una forma de ser excepcional. Para hacerlo, aprenda a superar los obstáculos mentales y las falsas creencias sobre el dinero que se propagan por el mundo y rechace la cultura de consumo que convence a la mayoría de las personas de gastar más y endeudarse.

Para resumir, siga los principios de la solvencia, incluso cuando no sea lo que las personas "normales" hacen.

Acumular de a poco

Por ejemplo, aquellos que comprenden los principios de la solvencia también saben que es importante acumular de a poco. Una mayor cantidad de cosas hacen que la vida sea más complicada, y más costosa, no más fácil. Reducir al mínimo las cosas que posee lo ayudará a ser más solvente.

COSAS
por Chris Brady

Usted las tiene. Nosotros las tenemos. Parece que casi todos las tienen... me refiero a las cosas materiales. Las cosas materiales son esas cosas de las que hemos estado rodeados en nuestras casas, garajes y en especial en nuestros sótanos. Algunas personas llegan tan lejos que tienen cosas guardadas en instalaciones específicas por toda la ciudad, o esparcidas en el patio delantero de la casa de un familiar político o en una cantidad de ubicaciones auxiliares de almacenamiento de pertenencias.

Las personas adineradas tienen cosas, y por lo general gran cantidad de ellas. Pero lo interesante es que, incluso las personas humildes tienen muchas cosas, aunque sean de menor calidad o realce. Los jóvenes también tienen cosas pero los mayores por lo general tienen más cosas (cosas antiguas seguramente). Incluso antes de nacer, las personas organizan "fiestas de bienvenida" y regalan cosas. Todos los años celebrará su cumpleaños y le regalarán más cosas. Y después de haber dejado esta vida, se pelearán por las cosas que haya dejado.

En nuestros propios hogares, tenemos cosas guardadas detrás de otras cosas. Algunas cosas están sobre otras cosas, mientras que esas otras cosas se ocultan de otras cosas. Algunas cosas se guardan detrás de otras cosas, mientras que otras están a la vista. Pero a medida que envejecemos, cuanto más vivimos, más cosas tenemos.

En realidad, no es del todo malo. Algunas cosas son bastante importantes. Por ejemplo, los refrigeradores. Ese tipo de cosas que todos necesitamos (lo que hay en su interior) y baños y muebles, y tenedores y automóviles y sellos y camas y una lista demasiado larga, aburrida y grande de cosas que en realidad necesitamos tener.

Pero lo que me vuelve loco es el resto de las cosas: esas cosas que solo acumulamos como las chucherías... altas y bajas, grandes y pequeñas, feas y elegantes que su esposa compra en el centro comercial, cosas antiguas y cubiertas de polvo, cosas viejas y cosas de los niños, cosas de las mascotas, cosas prestadas, cosas actuales y cosas olvidadas.

Cuando escucho que a alguien le gusta ir de compras, me imagino una enorme pila de cosas. ¿De eso se trata realmente ir de compras, pasear cambiando dinero por cosas? Llevarlas a casa y dejarlas entre todas las otras cosas. Y con el tiempo, el inventario total de cosas se torna bastante abrumador. Esto se debe a la imperceptible naturaleza de la mayoría de las cosas.

La combinación más peligrosa en un matrimonio es una persona compradora que se casa con una persona acumuladora de cachivaches. Uno convierte en un pasatiempo la compra de cosas mientras que el otro se niega a desecharlas. El hogar de una pareja así se verá abarrotado de cosas.

¿Qué se puede hacer con estas cosas? Empáquelas y guárdelas, almacénelas y ocúltelas. O puede venderlas. Esto es interesante porque ¿quién podría querer las cosas de otra persona cuando todos ya tienen más que suficientes cosas propias? Lo sé. Es un enigma desconcertante, pero las personas que tienen cosas en realidad se las compran a otras personas en eventos denominados ventas de garaje (aunque los garajes no están a la venta), ventas al público o subastas. Las personas hacen cola para comprar cosas. Incluso están deseosas de pagar veintiséis centavos por cosas que a usted le costaron $450.

O puede desechar algunas cosas. Empáquelas, envuélvalas y colóquelas en una caja para donarlas. El fisco le dará un crédito por entregar cosas. De esta manera tendrá más dinero para comprar más cosas, y el gobierno puede gravar las compras que haga y obtener dinero para comprar cosas propias, como inodoros de $600 y destornilladores de $345. Debido a esto, es fácil ver por qué de vez en cuando incluso el gobierno realiza ventas de garaje (denominadas liquidaciones federales): para vendernos las cosas que compraron con el dinero que nos quitan a nosotros cuando compramos nuestras cosas. Es un círculo de cosas ampliamente reconocido.

Y eso me lleva al reciclaje. Este es un concepto con el que otras personas manifiestan su preocupación respecto de lo que usted hace con sus cosas. (No les importa lo que usted hace con ellas mientras las posea, sino solamente cuando las desecha). Dicen que ciertas cosas deben estar enterradas o fundidas o algo por el estilo, y convertidas en otras cosas. Es otro ciclo de cosas.

Parece, ahora que he adquirido un profundo conocimiento científico sobre la naturaleza de las cosas, que esas cosas se asemejan a un grave caso de pie de atleta: es muy difícil de combatir. Haga un viaje a algún lugar y allí estará su esposa, empacando todas sus cosas. Allí están sus hijos, peleándose por cosas. Allí está el ladrón, robándole las cosas a otro. Allí está el envidioso, deseando las cosas de los otros. Allí está el comunista, estatizando cosas.

Por más que lo intente durante toda su vida, se verá forzado a lidiar con cosas. En su mayoría lucen bastante bien cuando son nuevas, pero en poco tiempo se convierten en cosas. Tal vez sea por eso que dicen que las mejores cosas de la vida son aquellas que ni siquiera son cosas.

Muchos asesores financieros sugieren realizar una venta al público y librarse de sus cosas extras, e incluso algunas de las cosas que le gustan pero que en realidad no necesita, como una parte esencial para poder ser solvente. El dinero de dichas ventas puede destinarse directamente a su incipiente (pero creciente) fondo de emergencia de $1.000.

El autor Robert Kiyosaki denomina la mayoría de las compras (automóviles, artículos electrónicos, prendas de vestir, etc.) con el

Reduzca lo material para que la vida sea menos complicada.

encantador y preciso nombre de "do-dads" (pavadas). Las personas tienen demasiadas cosas sin valor en sus hogares y al deshacerse de ellas con una venta de garaje o incluso con donaciones a entidades de caridad liberan la mente y su hogar para concentrarse en las cosas correctas. Reduzca lo material para que la vida sea menos complicada.

ACUMULE LO MATERIAL DE A POCO; ELABORE UN INVENTARIO DE SUS RECURSOS Y CONOCIMIENTOS, NO DE OBJETOS.

Si no despeja su vida de desórdenes, en última instancia, siga el principio de acumular lentamente. No se apure para obtener más cosas. En cambio, concéntrese en convertirse en un mejor líder y alguien que toma mejores decisiones económicas, y en tener más *recursos* reales. Acumule sabiduría antes que aparatos.

> **Acumule sabiduría antes que aparatos.**

El estatus es una terrible trampa

También evite la búsqueda moderna casi universal de "estatus". Lamentablemente, en la actualidad tener estatus a menudo significa lucir importante y exitoso, cuando en realidad no tiene un centavo y muchas deudas.

Las personas tienden a caer en esta trampa gastando dinero que no tienen en un intento por lucir bien, "tener lo mismo que los demás" o impresionar a las personas. Por lo general, ni siquiera les agradan esas personas que tienden a imitar.

Este problema a menudo se multiplica porque en un intento por "ser parte," las personas compran muchas cosas que en realidad no necesitan ni quieren porque dichas trampas parecen ser socialmente "obligatorias". Lamentablemente, dichas compras son mucho menos impresionantes que vivir según sus propios medios, sin disculparse por dónde se encuentra ahora porque está en el camino hacia el éxito, aplicando las leyes de la solvencia descritas en este libro, e intentando ser solvente, próspero y luego adinerado.

Otra palabra para la búsqueda del tipo de estatus equivocado es *materialismo*. Si presta atención, notará que hay muchas personas que lucen como si fueran adineradas (casa grande, automóviles nuevos, ropa de diseñador, hijos en escuelas privadas, etc.) que siguen viviendo al día, con un poco de ayuda de Visa, Mastercard, American Express, Discover, y algunos otros "amigos".

Para ser solvente, primero debe generar más de lo que gasta y gastar menos de lo que genera. En otras palabras, debe vivir según sus propios medios. De cualquier manera que lo diga, lo importante es hacer esto, junto con otros principios de la solvencia.

Los principios de la solvencia funcionan pero usted tiene que aplicarlos. Si se distrae intentando agradar a las personas o ser aceptado, casi siempre sucederán tres cosas: 1. no les agradará mucho de cualquier modo porque les interesa su estatus en lugar de la amistad real, 2. a usted no le agradará todo eso porque se ahogará en deudas, y 3. no saldrá de sus malos hábitos económicos porque nunca se hará tiempo para aplicar los principios de la solvencia.

Lo que es peor, nunca le dará al mundo el beneficio de su maravilloso propósito y sueño porque estará demasiado ocupado intentando impresionar a los demás. Esto es un gran desperdicio de capital humano. Peor aún, es un desperdicio del propósito de su vida.

Solución al estatus
El padre fundador John Adams escribió que casi todas las per-

sonas se pasan gran parte de su vida intentando impresionar a los demás.[15] Él sugirió no quedar atrapados en esta trampa popular.

Este fue un buen consejo en su momento y sigue siendo un buen consejo ahora. La forma más rápida y fácil de solucionar la trampa del estatus es llevarse bien con Dios, vivir según los verdaderos principios en todas las áreas de su vida, incluida la economía, y luego trabajar verdaderamente en la construcción de la tubería económica hacia una excepcional administración de su vida.

Después de todo, si está en paz con Dios, ¿a quién más necesita impresionar?. Quiere servir a los demás, sí, pero impresionarlos no es realmente su enfoque cuando se está encargando de aplicar los verdaderos principios. Su deber ante Dios es lo que en verdad cuenta, y ser solvente lo ayuda a servirlo mejor a Él.

> **Si está en paz con Dios, ¿a quién más necesita impresionar?**

El líder de negocios, Claude Hamilton explica: "La paz llegará cuando simplemente haga lo que sabe que debe hacer. Al actuar a partir del deber, le permite a Dios hacerse cargo de sus resultados. Solo hacer cosas por el dinero las dificulta y llegará el momento (así será) cuando ese dinero ya no lo motive. ¿Pero la sensación del deber? Eso sí".[16]

RESUELVA SU SITUACIÓN CON DIOS, APLIQUE LOS VERDADEROS PRINCIPIOS EN TODOS LOS ASPECTOS DE SU VIDA, INCLUIDA LA ECONOMÍA, EJERZA SU COMETIDO, SIRVA AL PRÓJIMO... Y DEJE QUE DIOS SE OCUPE DE IMPRESIONAR A LOS DEMÁS.

El materialismo duele

Tenga en cuenta que el *no* es materialismo soñar una vida mejor para su familia y su propósito. Sueñe a lo grande y comience a vivir según los principios que harán que sus sueños se vuelvan realidad.

Sin embargo, *sí* es materialismo permitir que las *cosas* dirijan su vida. Como en el comunismo usted pertenece a la comunidad o en el socialismo la sociedad es dueña de las personas, el materialismo se produce cuando usted trabaja todo el tiempo por cosas materiales. Usted no controla sus cosas en dichas situaciones; ellas lo controlan a usted.

Sale a trabajar por ellas, se preocupa por ellas, lucha por ellas con aquellos que más quiere, y hace lo que sea necesario para conservarlas y obtener más. Eso es el materialismo porque las cosas se convierten en su dueño.

A propósito, el peor materialismo tiene lugar cuando usted compra las cosas a crédito, las usa mucho o las gasta, y aún así tiene que trabajar para pagarlas en su totalidad. Esta es una definición bastante buena de esclavitud. Tiene que trabajar por las cosas, día y noche, pero no consigue tener ansias de hacerlo porque ya no están.

Pero en cambio, no se trata de materialismo si sus cosas funcionan para usted. Si las compra hoy con dinero que ganó ayer, puede relajarse y disfrutarlas realmente. Puede aprovechar todo el beneficio y disfrutarlo, y esto no lo apartará de su verdadero propósito.

La deuda hace lo contrario. No solo tendrá que seguir trabajando por ellas bastante tiempo después de comprarlas: en realidad usted trabaja más tiempo y con mayor intensidad para pagar el interés en su totalidad. Y la ansiedad, el estrés y la frustración de esta situación siempre le quita mérito a su verdadero cometido y sueño.

Después de todo, tiene que construir una tubería hacia sus sueños, y cualquier cosa que lo impida no será buena para usted. Las deudas constituyen uno de los más grandes obstáculos. Tome la decisión proactiva ahora mismo de no comprar cosas a crédito.

No compre cosas a crédito. El financiamiento inteligente de inversiones comerciales puede ser una buena opción, pero comprar cosas a crédito es como un cáncer. ¡Erradíquelo!

Si ya tiene deudas, puede llevarle cierto tiempo reparar lo que rompió. Como ya dijimos, si le llevó diez años endeudarse profundamente, podría llevarle otros diez salir de las deudas. De modo que, sí, *el materialismo duele.*

En ocasiones, a fin de avanzar, es posible que tenga que retroceder unos pasos y simplificar su estilo de vida. Tal vez le encante su automóvil pero su pago mensual podría matarlo y lo mismo ocurre con otros artículos financiados, incluso su hogar. En ocasiones, la venta de dichos artículos y la compra de modelos menos costosos pueden ser muy útiles. Sí, esto puede resultar difícil de hacer. Pero recuerde, las cosas son solo cosas, y son solo temporales. Si sigue los principios en este programa y permanece en el curso de su plan económico por escrito, terminará en una mejor situación.

La buena noticia es que si aplica los principios de la solvencia, cuando se libre de las deudas, tendrá muchas otras cosas:

- una gran cantidad de ahorros (siguiendo la Jerarquía de inversión en Usted, Inc.);
- un gran historial de pago del diezmo, de dar y de contribuir;
- carácter y disciplina para hacer lo que sabe que necesita hacerse a nivel económico con la experiencia como respaldo;
- un negocio que puede desarrollar para aumentar su ingreso pasivo;
- un propósito en la vida que le ofrece un poderoso mapa para sus opciones;

- una actitud de inversión (en lugar de gastos);
- un hábito y el impulso positivo de volverse solvente;
- y mucho más.

Seguir estos principios es poderoso. Al usarlos, tendrá el poder de corregir y desarrollar por completo su vida económica.

Los recuerdos importan

Otra parte importante de la solvencia es colocarles un valor preciso a los recuerdos y las relaciones. Demasiadas personas les ponen un precio muy bajo a estas cosas. Su presupuesto debe incluir dinero para generar recuerdos. Ellos pueden ser muy sencillos, como pasear con su cónyuge, mirar un atardecer juntos o llevar a los niños al parque durante una hora. De todas maneras, las pequeñas cosas suelen ser los mejores recuerdos.

HAGA QUE LOS RECUERDOS SEAN PARTE DE SU ESTILO DE VIDA, SU PRESUPUESTO Y SU PLAN DE VIDA. COMIENCE CON RECUERDOS SIMPLES Y LUEGO AGREGUE ALGUNOS MÁS GRANDES.

A medida que aplique cada vez más los principios de la solvencia y alcance la prosperidad, asegúrese de que el presupuesto de sus "Recuerdos" mantenga su ritmo. Vayan a la playa en tres (o seis) islas hawaianas, tómense un mes de descanso y jueguen al golf juntos si eso es lo que les gusta o lleve a la familia a un safari por Alaska. Lea el libro de Chris Brady: *Un mes en Italia* para obtener una imagen completa de un estilo de vida construido en torno a la creación de recuerdos familiares.

Chris resumió este libro de la siguiente manera:

En cierto momento, a principios del invierno de 2010, Terri y yo decidimos que necesitábamos un descanso. Queríamos una verdadera "escapada" en la que pudiéramos pasar algún tiempo con la familia en términos de calidad y cantidad, despejar nuestras mentes, estar juntos y solo pensar en nuestras vidas. Solo pasó un nanosegundo para que propusiera Italia como el destino perfecto porque era inagotablemente interesante, históricamente atractiva, con un clima tentador y suficientemente distante de nuestras ajetreadas vidas como para ofrecernos el descanso justo que deseábamos.

Lo que resultó fueron unas vacaciones familiares de un mes entero para una familia que no se había tomado un verdadero descanso en más de una década. Teníamos que encontrar abundante tiempo con la familia, risas, experiencias, tiempo libre, aventuras y reflexiones ininterrumpidas. Nos sentimos bendecidos por tal oportunidad e intentamos aprovechar al máximos nuestras vidas; decidimos dedicar más de nuestros esfuerzos a los recuerdos y menos a las cosas materiales. Esto significó simplificar y redoblar el esfuerzo de marcar más la diferencia respecto de la vida de los demás.

También decidimos emprender una pequeña guerra contra la tiranía electrónica implementando períodos de "desconexión" en los que ocasionalmente, como familia, estábamos lejos del alcance de las interrupciones. El resultado de ese descanso de verano en nuestras vidas ha sido inmenso. Aprendimos juntos que a veces uno tiene que ir lento para avanzar rápido.

"Recuerdos en lugar de cosas materiales" es una excelente pauta para la vida.

Convertirlo en realidad

Tómese algo de tiempo ahora mismo y diseñe un plan escrito para implementar los principios de "no ser normal" en este capítulo. Póngalo en acción y hágalo realidad. Además, haga algo en las próximas veinticuatro horas que le genere un aporte significativo a sus recuerdos.

Convierta esto en un hábito que nunca interrumpirá.

DIECINUEVE

Diez zonas peligrosas de la economía

"Creo que el indicador clave de la riqueza no son las buenas calificaciones, la ética laboral ni el coeficiente intelectual. Creo que son las relaciones. Hágase dos preguntas: ¿Cuántas personas conozco y cuánto dinero de rescate podría obtener para cada uno de ellos?
—JAROD KINTZ, COMEDIANTE

Existen algunos problemas económicos de los que debe cuidarse: las zonas de peligro de la economía personal. En particular, hay diez que probablemente sean los momentos más peligrosos en la vida económica de alguien. Cuando esté cerca de algunas de estas diez cosas, deténgase, piense, libérese de sus emociones y aplique su lógica porque todas constituyen peligros.

1. Impuestos: asegúrese de conseguir un buen asesor impositivo porque el código impositivo puede ser bastante complicado. Nunca viole la ley. Nunca actúe al límite. Pero asegúrese de comprender las leyes impositivas para no desperdiciar una gran cantidad de dinero que no debe pagar.

2. Propiedad del hogar: nunca nos enseñaron que ser propietario de una casa es algo excepcional. Tal vez eso sea cierto para algunas personas en las circunstancias correctas pero ser propietario es una

de las cosas más costosas que alguna vez hará. No solo el mantenimiento significa un gasto importante sino que los derechos de propiedad y el seguro son muy costosos. En sociedades con economías débiles o en constantes dificultades, el aumento de los impuestos a la propiedad será una forma con la que las ciudades, las municipalidades y otros gobiernos locales intentan mantenerse a flote.

Y a pesar de los mitos populares, los hogares no siempre incrementan su valor. Esta fue la gran idea que fracasó en la última burbuja inmobiliaria. Muchas personas se encontraron en problemas por ser propietarios, debiendo más de lo que sus casas valían. Este es un mal lugar para estar.

Nuestra sugerencia no es ser dueño de un hogar, ni evitar ser dueño, sino ser inteligente. No cometa el error de ver su hogar como la principal inversión y piense en las ramificaciones financieras antes de comprarlo.

3. Divorcio: ¡no se divorcie de él! ¡No se divorcie de ella! ¡Solucione sus problemas! Si no es así, le costará mucho dinero. Desde luego que debe hacer lo que sea correcto para usted y su familia. Nuestro punto simplemente es que esto puede ser un movimiento económico muy peligroso, así que piénselo desde todos los puntos de vista. Podría ser lo más costoso que haga en su vida.

4. Tarjetas de crédito: muchas personas deben permanecer alejadas de las tarjetas de crédito. Ya lo hemos tratado en este libro, de hecho en varias oportunidades, pero si aún no sigue nuestro consejo, entonces (¡por el amor de Dios!) vuelva a poner el

plástico en la billetera. Córtelas. Deshágase de los pedazos. Congélelas. Póngalas bajo llave. Solo deje de usarlas.

Las tarjetas de crédito están bien para las personas que han demostrado su capacidad para ser disciplinadas con su economía. Pero esta apropiada advertencia va dirigida a quienes les cuesta este tema.

5. Demandas: son muy costosas y pueden distraerlo de su trabajo, negocio, familia y otros aspectos importantes de la vida. Si vive según los principios de la solvencia de este libro, tendrá la mejor y única preparación real para las demandas: ahorros y disciplina económica. Evite demandas cuando sea posible y nunca las considere como una forma para sacar una ventaja económica.

6. Accidentes y enfermedades sin seguro: sabemos que este es un mundo difícil. Pero literalmente hemos visto a personas cancelar su seguro de salud porque "no pueden pagarlo". Sin embargo, tienen cantidades de deudas con tarjetas de crédito, un televisor pantalla plana, vehículos recreativos, automóviles extravagantes, barcos, etc.

Consiga un seguro. Venda cosas. Pasee dentro de un barril si es la única opción que le queda. Consiga un seguro, incluso si solo se trata de una seguro médico general que responde si tiene una emergencia grande. Protéjase y proteja su economía. Demasiados seguros constituyen un desperdicio y con muy pocos correrá un riesgo. Evite ambos extremos.

Es inteligente que las personas busquen los siguientes tipos de seguros: hogar/alquiler, automóvil, médico general, de vida, por discapacidad, atención a largo plazo y protección contra robo de identidad. Además, averigüe qué seguro necesita para su tipo de negocios. Proteja sus bienes.

7. Estatus de vida: tener lo mismo que Fulano (o que los Zhang, como dicen cada vez más en China) en verdad puede ponerle fin a su solvencia. Si no lo ha notado, los demás probablemente estén quebrados. Seguir su ejemplo es malo para su economía.

    En realidad, a decir verdad, los Zhang gastan poco y ahorran mucho. Tener lo mismo que los Zhang y no que Fulano, en realidad es una buena idea.

    Para repetir lo que ya dijimos: deje de comprar cosas que no necesita con el dinero que no tiene para impresionar a personas que ni siquiera le agradan.

8. Educación universitaria: utilizamos la palabra "educación" en forma amplia, según a qué universidad asista. La universidad se ha vuelto ridículamente costosa, en parte por todas las becas entregadas pero en su mayor parte por la facilidad con la que los jóvenes pueden obtener préstamos del gobierno. Esto tiende a hacer que suba el precio de todo el mercado. Procure recibir lo que pagó.

    Tómese tiempo para pensarlo antes de invertir todo ese dinero ganado con sacrificio en una universidad solo por la reputación. Encienda la parte analítica de su cerebro y véalo como una inversión. Asegúrese de que usted (o sus hijos) se capacite en algo que realmente le brinde el beneficio que desea, o concéntrese más en obtener una excelente educación y menos en obtener un título.

    Para ser claros, creemos que usted debe obtener

una educación verdaderamente excelente. Esta es una de las inversiones más importantes que hará. Solo no creemos que ocurra en una universidad como suele suceder o como también lo esperan muchas personas. Si elige una universidad, asegúrese de recibir la educación que realmente quiere, o vaya y encuéntrela en otro lugar.

Tenga en cuenta que los costos de las universidades aumentan alrededor del 8% anual, mientras que las estadísticas muestran que el costo de una educación universitaria ya no constituye una buena inversión. Un gran porcentaje de personas nunca trabaja en el campo de su título pero abandonan los estudios debiendo miles de dólares en concepto de préstamos estudiantiles. Irónicamente, dado que las escuelas se concentran cada vez más en una capacitación laboral limitada y no en una educación amplia, la gente elige menos el camino de la educación y usa menos sus costosos títulos luego de formarse.

Por ejemplo, el 85% de las personas que se graduaron en la universidad en 2011 no pudieron encontrar un empleo y se mudaron otra vez con sus padres.[17] Muchos incluso siguieron viviendo por su cuenta pero aún no pudieron encontrar un buen empleo. Es cada vez más común encontrar personas con títulos universitarios prestigiosos en trabajos manuales o en casas de comidas rápidas.

Peter Thiel, el multimillonario cofundador de PayPal, recientemente ofreció subsidios de $100.000 a los estudiantes que estuvieran dispuestos a dejar la universidad y comenzar un negocio. Muchos líderes importantes están viendo cada vez más la universidad como una pérdida de tiempo. A medida que la universidad se vuelve cada vez más costosa y menos valiosa, esperamos que surjan más de esas alternativas que para las personas funcionan mejor que la universidad.

Una vez más, si va a la universidad, concéntrese en su educación: no en los requerimientos generales del sistema.

9. Adicciones: por lo general, cuando hablamos con personas que padecen graves problemas económicos, descubrimos que existe cierto tipo de adicción detrás de la situación. Combátalas. Consiga ayuda profesional. Reciba tratamiento. Por trágicas que estas cosas resulten a nivel personal y familiar, también lo son en términos económicos. Limpie su vida.

10. Inversiones: la regla sobre inversión es la del "comprador consciente". Si aquellos en busca de su inversión necesitan su dinero, no califican para eso. Si no conserva el control de su dinero en un 100%, perderá gran parte de él: se lo aseguramos. Hemos aprendido esto a través de lamentables experiencias. Las mejores inversiones se encuentran la Jerarquía de inversión USTED, Inc., que se trató anteriormente.

Alrededor del 95% de los norteamericanos no deben estar en el cuadrante "I" de Kiyosaki, que solo es de inversores. La mayoría debería estar en el cuadrante "B" (propietarios de negocios). Aquellos que intentan convertirse en inversores demasiado pronto por lo general tratan de invertir como millonarios mientras sus ingresos son de clase media. Esto es lo contrario a la verdadera meta, como se discutió anteriormente: ganar como millonario y vivir como la

clase media. Además, los inversores aficionados generalmente resultan vapuleados por los profesionales.

**TENGA MUCHO PERO MUCHO CUIDADO AL TOMAR DECISIONES
SOBRE LAS ZONAS DE RIESGO: IMPUESTOS, PROPIEDAD DEL
HOGAR, DIVORCIOS, TARJETAS DE CRÉDITO, DEMANDAS, SEGUROS,
BÚSQUEDA DE ESTATUS, UNIVERSIDAD, ADICCIONES E INVERSIONES.
ASESÓRESE CON SUS MENTORES FINANCIEROS Y ESTUDIE LAS
PROPUESTAS EN DETALLE ANTES DE TOMAR DECISIONES.**

A medida que adquiera solvencia, esfuércese por evitar las
zonas económicas peligrosas y tenga mucho cuidado al tomar
decisiones cuando se presentan solas.

VEINTE

Lo que significa merecer

"Los estadounidenses solíamos ser 'ciudadanos'.
Ahora somos 'consumidores'".
—Vicki Robin

Ya hemos hablado acerca de la importancia de no comprar cosas a crédito. En otras palabras, nunca financie algo que se devalúa (aparte de su hogar).

Si se sigue este consejo, la mayoría de las personas se ahorrarán una gran cantidad de preocupaciones y se mantendrán en una situación económica mucho mejor. El problema es que las personas muy a menudo quieren motos de agua, barcos, motocicletas, remolques, juegos electrónicos, sistemas de entretenimiento, viajes a Hawai, piscinas y otras cosas que no se revalorizan.

Cuando escuchan que no pueden comprar esas cosas si quieren ser solventes, responden: "Pero he trabajado tan duro. Lo merezco".

Este es un claro malentendido de lo que significa merecer algo. La verdad es que, si lo mereciera, tendría el dinero para eso.

En otras palabras, si ganó el dinero para eso, se lo merece. Si no es así, entonces no. Si lo compra a crédito, entonces aún no se ha ganado el dinero para eso, y no se lo merece. Podría merecerlo el mes o el año que viene, pero no ahora mismo.

> **Nunca financie algo que se devalúa (aparte de su hogar).**

Solo compre cosas cuando en realidad las merezca, lo que significa que se ha ganado el dinero, no tiene deudas, ya se ha pagado a usted primero y tiene el dinero en la mano.

Durante todo este libro, ya sea que hayamos analizado los principios económicos básicos, la ofensiva o la defensa, seguimos volviendo a este punto central: aquellos que gastan más que sus propios medios no son solventes. Para serlo, tiene que redefinir la forma en que ve al mundo y comprender que los principios de la solvencia son la clave para el éxito monetario.

Casi todas las personas exitosas a nivel económico tuvieron que decir "No" muchas, muchas veces a numerosas compras. Pero ahora tienen automóviles elegantes, viven en casas hermosas y lo que es más importante, viven el sueño de sus vidas porque pospusieron sus compras hasta que tuvieran el dinero.

Si quiere ser exitoso económicamente y alcanzar la visión de su vida, siga ese ejemplo. Es asombrosa la cantidad de tormentas y desafíos que puede soportar cuando sigue estos principios.

La regla de la duplicación

Muchos agentes inmobiliarios dicen que puede comprar una casa valuada en más de tres veces su ingreso anual. Entonces según este razonamiento, si gana $50.000 al año, podría pagar un hogar que valga hasta $150.000. Pero la regla de Woodward, como la llamamos, es que algunos agentes inmobiliarios realmente quieren que gaste más de lo que debería. Para la compra de casas, sugerimos la Regla de la duplicación, lo que significa que si gana $50.000 por año, no debe gastar más de $100.000 en su hogar. Si alquila su hogar, sus costos mensuales de alquiler no deben superar el 25% a 35% del ingreso neto que lleva a su casa.

"Pero eso sería muy poco," dicen muchas personas. "Nos gustan las cosas más elegantes".

La respuesta correcta para esto es: "¡Genial! Entonces gane más, y luego podrá comprar más. En estos momentos, debe seguir la Regla de la duplicación".

Aclaremos cómo funcionan el interés compuesto y las hipotecas. Debido a la cantidad que suman treinta años de interés además del capital, por una casa de $150.000 termina pagando alrededor de $500.000, de modo que no puede pagar una casa de $50.000 por año. Antes de sacar un préstamo hipotecario, antes de avanzar en la compra de un hogar, pídale a su prestamista que le diga cuánto costará una vez que la haya pagado por completo: incluidos el capital y el interés. Luego calcule cuánto costará el seguro y agregue eso a su monto. Además, no se olvide de calcular todos los costos de cierre, honorarios, inspecciones, impuestos y cosas por el estilo, sin mencionar el mantenimiento.

Esto lo ayudará a ver si realmente puede pagarlo, y en muchos casos, las personas solo pueden pagar una casa determinada si no tienen un fondo de emergencia, ni otros ahorros, y financian gran parte de sus gastos de vida a crédito. Eso es *no* poder pagarlo; eso es arruinarse y endeudarse cada vez más.

Lo que debe hacer es vivir en una casa que realmente pueda pagar y que le permita ahorrar mucho, aumentar sus recursos y desarrollar su negocio y crear una verdadera riqueza. Luego, cuando tenga el dinero, puede vender la casa y comprar una más grande.

SI COMPRA UNA CASA, SIGA LA REGLA DE LA
DUPLICACIÓN. POR EJEMPLO, SI
SU INGRESO ES DE $50.000 AL AÑO, NO COMPRE
UNA CASA QUE CUESTE MÁS DE $100.000. SI QUIERE
UNA CASA MÁS GRANDE, GANE MÁS DINERO.

Cuando Orrin y Laurie Woodward obtuvieron el primer año de ingresos importantes, vivían en una casa muy modesta de 1.900 pies cuadrados. Era perfecta para sus necesidades y les permitía concentrarse en construir su tubería. Cuando tuvieron el dinero, avanzaron.

Compraron una casa de 10.000 pies cuadrados y la financiaron a treinta años. Pagaron un adelanto de $300.000 en efectivo y tenían reservas en efectivo para pagar la casa en su totalidad en caso de que fuera necesario. Pero querían tener grandes ahorros, de modo que utilizaron un préstamo para pagar el resto de la casa.

Negociaron la mejor tasa de interés que pudieron encontrar y preguntaron en qué tiempo podrían pagar el préstamo en su totalidad sin recargo. La respuesta fue en tres años. Entonces, a medida que ganaban dinero, pagaban su casa en su totalidad rápidamente para evitar el interés. A los tres años, pagaron toda su casa y fueron los dueños absolutos.

Una vez que pagaron su casa, utilizaron el método de la reestructuración, no para pagar todas sus deudas (porque no tenían ninguna) sino para acumular aún más ahorros. Sin tener que pagar deudas, vivieron con el 25% de sus ingresos apartando el 75% restante siguiendo las pautas de la Jerarquía de inversión en Usted, Inc.

Aunque vivían con el 25% de sus ingresos, tenían suficiente dinero para comprar algunos de los "juguetes" a los que se habían negado durante años. En realidad, si tiene "juguetes" significa que es solvente, vive con un pequeño porcentaje de sus ingresos y paga por ellos en efectivo.

En este sentido, está bien decir que ha trabajado duro y se merece algunos "juguetes". Si no es solvente y tiene un montón de "juguetes", significa que, en realidad, no los merece y está usando sus ahorros o el dinero que tomó prestado en las cosas equivocadas.

SI NO ES SOLVENTE Y TIENE UN MONTÓN DE «JUGUETES», SIGNIFICA QUE, EN REALIDAD, NO LOS MERECE Y ESTÁ USANDO EL DINERO QUE TOMÓ PRESTADO O SUS AHORROS EN LAS COSAS EQUIVOCADAS. SI YA HA PAGADO TODAS SUS DEUDAS, SIGA LAS PAUTAS DE AHORRO MENCIONADAS EN LOS PRINCIPIOS ANTERIORES Y, SI TIENE EL EFECTIVO, PUEDE COMPRAR ALGUNOS «JUGUETES» Y MANTENER LA SOLVENCIA.

Que así sea

Decida cómo aplicar mejor los principios de este capítulo a su vida y agréguelos a su plan económico escrito. Sea realista y consistente.

Resumen de la parte III: Posición defensiva

- Los principios de la defensa económica incluyen lo siguiente:

  > PRINCIPIO 25: Deshágase de la deuda.
  > PRINCIPIO 26: Si no tiene solidez económica, no quede atrapado en la maraña de las "deudas comerciales".
  > PRINCIPIO 27: No use tarjetas de crédito para mejorar su situación crediticia porque esto casi siempre lleva a que las personas contraigan mayores deudas.
  > PRINCIPIO 28: Nunca empeñe sus títulos, ni aproveche los préstamos "a noventa días, igual que efectivo", préstamos del día de pago, planes de alquiler con opción a compra, deudas con apartado, ni esquemas similares.
  > PRINCIPIO 29: Considere Considere sus automóviles como medios de transporte, no símbolos de estatus. Ahorre y pague siempre en efectivo.
  > PRINCIPIO 30: Para muchas personas, las tarjetas de débito siempre son mejores que las de crédito; el efectivo es incluso mejor.
  > PRINCIPIO 31: Enséñeles a sus hijos y a los jóvenes sobre los principios de la solvencia. Enseñe con el ejemplo. Orientarlos les servirá a ellos y también a usted.
  > PRINCIPIO 32: Si no es rico, no se deje tentar por segundas hipotecas.
  > PRINCIPIO 33: Use el método de la reestructuración para pagar todas las deudas con tarjetas de crédito y luego aplíquelo a todas sus otras deudas.

- PRINCIPIO 34: Aprenda a ser escéptico ante la publicidad, los medios de comunicación y el marketing.
- PRINCIPIO 35: Acumule lo material de a poco; elabore un inventario de sus recursos y conocimientos, no de sus objetos.
- PRINCIPIO 36: Resuelva su situación con Dios, aplique los verdaderos principios en todos los aspectos de su vida, incluida la economía, ejerza su cometido, sirva al prójimo... y deje que Dios se ocupe de impresionar a los demás.
- PRINCIPIO 37: No compre cosas a crédito. El financiamiento inteligente de inversiones comerciales puede ser una buena opción, pero comprar cosas a crédito es como un cáncer. ¡Erradíquelo!
- PRINCIPIO 38: Haga que los recuerdos sean parte de su estilo de vida, su presupuesto y su plan. Comience con recuerdos simples y luego agregue algunos más grandes.
- PRINCIPIO 39: Tenga mucho pero mucho cuidado al tomar decisiones sobre las zonas de riesgo: impuestos, propiedad del hogar, divorcios, tarjetas de crédito, demandas, seguros, búsqueda de estatus, universidad, adicciones e inversiones. Asesórese con sus mentores económicos y estudie las propuestas en detalle antes de tomar decisiones.
- PRINCIPIO 40: Si compra una casa, siga la regla de la duplicación. Por ejemplo, si su ingreso es de $50.000 al año, no compre una casa que cueste más de $100.000. Si quiere una casa más grande, gane más dinero.

➤ PRINCIPIO 41: Si no es solvente y tiene muchos "juguetes" significa que, en realidad, no los merece y está usando sus ahorros o el dinero que tomó prestado en las cosas equivocadas. Si ya ha pagado todas sus deudas, sigue las pautas de ahorro mencionadas en los principios anteriores y si tiene el efectivo, usted puede comprar algunos "juguetes" y conservar la solvencia.

CUARTA PARTE

CAMPO DE JUEGO

"NO EN NUESTRA CASA"

Cuando viene el equipo contrario a jugar a nuestro estadio local, sus compañeros de equipo por lo general dicen: "¡No en nuestra casa!". Esto significa que en su propio terreno, usted tiene ventaja por ser local pero esto solo funciona si su equipo conoce las reglas y comprende las características especiales del campo de juego. En la Cuarta parte, analizaremos los principios generales de la solvencia y la economía que impactan directamente sobre las elecciones económicas y de vida. Conocer el campo de juego económico es clave para el éxito monetario.

"No comprendo la tecnología de modo que no invierto en ella".
—WARREN BUFFETT

"¡Wall Street predijo nueve de las últimas cinco recesiones!"
—PAUL SAMUELSON

VEINTIUNO

Las primeras tres grandes preguntas económicas

"La herramienta del empresario son los valores; la herramienta del burócrata es el miedo".
—AYN RAND

Imagine un grupo de personas que están varadas en una isla sin ninguna esperanza de ser rescatadas o de abandonar la isla. En un principio, todo se trata de la supervivencia pero pronto las personas se dan cuenta de la necesidad de una solución más duradera para el proceso diario de satisfacer las diversas necesidades.

Como resultado, las personas de la isla hacen lo que todas las sociedades : se hacen las primeras cinco preguntas importantes sobre economía. En este capítulo, conoceremos las primeras tres de estas preguntas y luego cubriremos las otras dos en los demás capítulos.

En una sociedad, el proceso de responder estas preguntas a veces transcurre por los canales formales, pero por lo general ocurre de manera natural a medida que las personas sufren necesidades y buscan soluciones. De una u otra forma, en toda sociedad se hacen y se responden las cinco preguntas.

Juntas, estas preguntas básicas constituyen lo que se conoce como macroeconomía, los grandes problemas de la vida económica de la sociedad. Las respuestas a las cinco preguntas importantes determinan el carácter de cada sociedad, nación y sus habitantes. En contraste, la microeconomía trata con las opciones hechas por una persona o una empresa para sí misma.

En lo que va del libro, hemos cubierto ciertos aspectos microeconómicos pero a medida que tenga eso bajo control, será cada vez más necesario que comprenda el entorno general en el cual opera su microeconomía personal.

La comprensión de estas preguntas (y sus respuestas) constituye una parte importante de ser solventes porque las personas exitosas comprenden el campo de juego en el que viven, trabajan, juegan, ganan, sirven y buscan la felicidad. Esta información es vital. Sin importar lo fuerte que sean su ofensiva o su defensa, y sin importar lo bueno que sea con los aspectos básicos, si no comprende las reglas y la disposición del campo de juego, su equipo perderá.

Por ejemplo, las primeras cinco preguntas importantes explican la diferencia entre Hong Kong moderno y Cuba. Aquellos que no comprenden estas preguntas de la libre empresa, no entenderán en profundidad los principios de la solvencia.

ESTUDIAR Y ENTENDER LA LIBRE EMPRESA ES UNA PARTE ESENCIAL DE LA SOLVENCIA.

Pregunta n.° 1: ¿Cómo satisfacen las personas las necesidades de su vida?

La primera gran pregunta de nuestra sociedad en la isla, y de toda sociedad, es simplemente la siguiente: ¿Cómo satisfacen las personas las necesidades de su vida? En algunos lugares y épocas a lo largo de la historia, esta pregunta ha sido formulada por líderes, y en otras oportunidades, una familia o persona, y en diferentes épocas se la hicieron las tribus, comunidades, naciones, ciudades, pueblos y otros grupos. Pero es la primera pregunta económica evidente que toda persona debe hacerse incluso si no existe ningún grupo.

Existen cuatro posibles respuestas a la primera gran pregunta. *Una* es que las personas tendrán que encontrar la forma de sobrevivir por su cuenta y defenderse solos. Según este acuerdo, no trabajarán juntos, y en realidad no participan conjuntamente de una economía sino que simplemente viven aislados. Los grandes pensadores políticos de la historia (como Hume, Rousseau y Locke) denominaron a esto "el estado de la naturaleza," es decir, una persona o familia que vive sola, fuera de la sociedad y sin participar en el comercio económico.

Dichas economías primitivas naturalmente cuentan con mucha libertad y poca prosperidad y avance, mientras la persona o la familia aislada permanecen seguras. Sin embargo, esta situación suele ser muy insegura (debido a los atacantes y bandidos más fuertes) y las personas en ella experimentan poca libertad y prosperidad. La simple supervivencia se convierte en el nombre del juego.

Una *segunda* posible respuesta a la pregunta de cómo las personas satisfarán sus necesidades físicas es hacerse cargo de gran parte de la supervivencia por su cuenta interactuando con los demás a través del comercio y el intercambio económico. Esto propicia una economía de trueque en la que las personas intercambian sus bienes y servicios por los productos y servicios de otros. El comercio en las economías de trueque funciona siempre que ambas partes de un intercambio valoren más lo que reciben que lo que entregan.

Las economías de trueque por lo general tienen mucha libertad y poca prosperidad, principalmente porque la mayoría de las personas pasan gran parte de su vida procurando solo los elementos básicos de la vida como el agua, el fuego, la comida y el refugio. Intercambian bienes que ayudan a estas necesidades fundamentales y de vez en cuando intercambian otras cosas como joyas de metales preciosos o los servicios de religión, avances tecnológicos o arte.

Pero sin especialización (en la que algunas personas dedican su tiempo a obtener comida y luego intercambiar el excedente con aquellos que se vuelven expertos en crear ropa o calzado o construyen mejores refugios, etc.), las sociedades de trueque casi nunca producen riquezas, tiempo libre ni productos o servicios avanzados generalizados.

Economía dirigida frente a economías de mercado

La *tercera* respuesta a la pregunta sobre cómo las personas satisfarán sus necesidades básicas es que menos personas estén a cargo de cosas, controlen a los demás y les digan qué hacer con su tiempo y cómo distribuir su trabajo y pertenencias. A esto se lo denomina economía dirigida y se ha utilizado con mayor frecuencia que cualquier otro sistema con el correr de la historia de la humanidad. Lamentablemente, las economías dirigidas siempre se basan en la fuerza y se sostienen con la violencia.

En economías dirigidas, la libertad es poca al igual que la prosperidad: excepto para los pocos que están a cargo. La clase gobernante a menudo utiliza su poder para amasar una gran fortuna para sí misma, y como resultado, las economías dirigidas pueden convertirse en muy avanzadas y lograr altos niveles de tecnología y crecimiento. Aun así, dichos avances casi siempre se utilizan para beneficiar el poder de aquellos a cargo y mantener las masas bajo control.

Una *cuarta* respuesta posible a la pregunta sobre cómo las personas satisfacen las necesidades de su vida es que todos se pongan de acuerdo sobre algunas reglas importantes y mutuamente beneficiosas o de lo contrario se defenderán por su cuenta. Sin embargo, la adopción de algunas reglas fundamentales cambia todo. Este sistema, denominado libre empresa, puede parecerse en gran parte a la economía de trueque pero en realidad es muy diferente.

Derechos de propiedad

Específicamente, en las economías de trueque, las personas no tienen forma de almacenar su riqueza y el fruto de su trabajo. Si lo intentan descubrirán que no hay reglas para impedir que los demás se lleven sus cosas con total naturalidad. En efecto, en las sociedades de trueque es normal que los fuertes ofrezcan el siguiente intercambio a aquellos que son más débiles: "Entreguen la comida que guardan para el invierno o les quitaremos la vida".

No existen normas, leyes ni una autoridad más fuerte para detener este tipo de saqueos, de modo que en las sociedades de trueque aquellos que ahorran o invierten por lo general desperdician sus esfuerzos.

No obstante, la situación cambia cuando las personas aceptan algunas normas de propiedad y derechos. Las personas pueden almacenar el fruto de su trabajo y como resultado, los ahorros, la inversión y los productos avanzados, los servicios y la tecnología se dan de manera natural.

Las economías de libre empresa solo funcionan cuando las reglas tratan a todos los miembros de la sociedad por igual y protegen la vida, la libertad y la propiedad de cada persona frente a los demás. Este es el concepto básico de todas las sociedades libres, y a través de la historia, se han conocido simplemente como "derechos de propiedad".

También se denomina a estos derechos como "derechos inalienables," la frase utilizada en *la Declaración de la Independencia*. En verdad, los fundadores estadounidenses afirmaron que el propósito del gobierno es proteger estos derechos básicos y que si un gobierno deja de hacerlo, ha perdido su propósito y debe ser abolido y reemplazado.

La primera gran pregunta de la sociedad claramente es muy importante. Las personas que viven en economías de libre empresa experimentan gran libertad y altos niveles de prosperidad, lo que convierte a esta en la mejor de las cuatro respuestas posibles a la primera pregunta sobre economía.

Especialización

Otra cosa importante sucede cuando una sociedad elige una economía de libre empresa. Debido a que las personas pueden ahorrar con seguridad el fruto de su trabajo, pueden especializarse y convertirse en expertos en una destreza o servicio o creando un producto, y luego cambiar ese excedente por el trabajo de otros especialistas. Esto conduce a economías avanzadas, crecimiento, prosperidad y poder significativos.

> **Las personas que viven en economías de libre empresa experimentan mayores niveles de libertad y prosperidad.**

Tenga en cuenta que dichos avances se dan cuando los ahorros y bienes están protegidos, ya sea por las reglas de las sociedades de libre empresa o por el poder de los gobernantes en economías dirigidas. De este modo, las culturas de economías dirigidas y de libre empresa construyen sociedades complejas, mientras que las personas que intentan sobrevivir por fuera de la sociedad y los grupos que confían en el trueque persisten a niveles relativamente simples.

Pregunta Nº 2: ¿Quién dirigirá?

Cuando un grupo adopta una economía dirigida o de libre empresa, esto genera inmediatamente la segunda pregunta importante sobre economía: ¿Quién estará a cargo de crear y hacer

234

cumplir las reglas?

En las economías dirigidas, la respuesta es que los gobernantes están a cargo de todo. A veces esto significa un rey, emperador, zar o dictador, y otras sociedades adoptan toda una clase de gobernantes denominados aristócratas, clases gobernantes superiores o elites.

Por el contrario, en las sociedades de libre empresa, los gobernantes son las personas mismas, ya sea a nivel personal (en sociedades muy pequeñas) o a través de representantes (en naciones más grandes). Existen muchos y variados ejemplos de este sistema, pero los mejores a lo largo de la historia solo han conferido poderes limitados al gobierno y luego crearon controles y equilibrios para evitar que los gobiernos se convirtieran en economías dirigidas.

Este es uno de los patrones que se repiten en la historia: eventualmente, todos los gobiernos buscan aumentar su poder y en cada acuerdo económico los gobernantes intentarán avanzar en pos de una economía dirigida, con ellos a cargo.

> **Este es uno de los patrones que se repiten en la historia: todo gobierno, en algún momento, busca aumentar su poder.**

Cuando las personas supervisan al gobierno y lo mantienen bajo control, el gobierno hace principalmente dos cosas: 1. protege los derechos inalienables de su pueblo contra ataques extranjeros y 2. protege la vida, la libertad y la propiedad de los ciudadanos contra ataques internos. El libre gobierno y la verdadera libre empresa solo existen cuando el gobierno hace estas dos cosas y deja *todo* lo demás a las personas mismas. Como lo señaló Thomas Jefferson, gobierna mejor quien gobierna menos.

Esto es la base de la libertad en todas las naciones del mundo y en todas las épocas a lo largo de la historia. En la medida en que las naciones han seguido este modelo, han sido libres, y se ha generalizado la oportunidad de prosperidad.

Tenga en cuenta que la primera pregunta importante (¿cómo satisfacen las personas las necesidades de su vida?) es la base de la economía, y la segunda (¿quién gobierna?) es la base del gobierno. Por lo tanto, la economía es naturalmente primaria y la política secundaria.

Pregunta n.° 3: ¿Cómo se encargará el pueblo de mantener al gobierno bajo control?

Como mencionamos anteriormente, todos los gobiernos, incluso aquellos establecidos en sociedades de libre empresa, intentan adoptar economías dirigidas de manera natural y aumentar la fuerza, el control y la riqueza de los gobernantes. En consecuencia, la tercera pregunta importante es la siguiente: ¿Cómo se encargará el pueblo de mantener al gobierno bajo control? ¿Cómo pueden mantenerlo orientado a la protección de la libertad y evitar que la sociedad se convierta en una economía dirigida?

La respuesta, cualquiera sea en una sociedad específica, se convierte en la constitución de la nación. Una constitución es un conjunto de normas establecidas por las personas para mantener el gobierno bajo control. Por el contrario, las leyes son normas establecidas por los gobernantes para las personas.

> **Las constituciones están por encima de las leyes y todas las leyes en los países verdaderamente libres deben respetar la constitución.**

Las constituciones están por encima de las leyes y todas las leyes en los países verdaderamente libres deben respetar la constitución. Si no lo hacen, la sociedad se encontrará seguramente en camino a convertirse en una economía dirigida basada en la fuerza, porque las leyes naturalmente beneficiarán las necesidades económicas y los deseos de la clase gobernante, mientras que una buena constitución protege la vida, la libertad y la propiedad de todos.

La libre empresa prospera en las naciones con buenas constituciones, siempre que las personas mantengan al gobierno bajo control. Cuando se deteriora la libre empresa, siempre aumentan los obstáculos a la solvencia.

> **Cuando disminuye la libre empresa, siempre aumentan los obstáculos a la solvencia.**

Como resultado, aquellos que desean seguir siendo solventes estudian con detenimiento los principios de la economía, del gobierno y de la libertad así como las reglas de la solvencia.

LAS PERSONAS SOLVENTES QUE DESEAN MANTENER UN ENTORNO QUE ALIENTE LA OPORTUNIDAD Y LA PROSPERIDAD SUELEN PRESTARLES ATENCIÓN A LOS PRINCIPIOS DE LIBERTAD Y A LAS ACCIONES EN CURSO DEL GOBIERNO.

Acción

Haga que el estudio de la libertad y la libre empresa sean parte de su plan personal a largo plazo. Esta es una parte importante de invertir en usted y en el futuro. ¡Comience de inmediato!

VEINTIDÓS

La cuarta gran pregunta económica: ¿La economía es tan buena como el oro?

"Cuando su vecino pierde el empleo se trata de una recesión; cuando usted pierde el suyo, hablamos de una depresión".
—HARRY S. TRUMAN

Las primeras tres grandes preguntas sobre economía plantean si una nación se basará en la libertad o en la fuerza, quién estará a cargo y cómo evitarán el abuso del poder de aquellos a cargo. Estas son las bases más importantes de cualquier sociedad. De hecho, a fin de cuentas todas son preguntas sobre economía porque tratan sobre la forma de satisfacer las necesidades de la vida y cómo proteger la vida, la libertad y la propiedad.

Pregunta n.° 4: ¿Qué se usará como moneda?

Una vez que una sociedad haya determinado que adoptará la libre empresa y que la sostendrá con un sistema de gobierno libre, y una vez que también haya establecido formas efectivas de impedir que el gobierno se convierta en una economía dirigida y se adueñe de las propiedades y los bienes, surge una cuarta pregunta importante: ¿Qué se utilizará como moneda?

Esta elección tiene una influencia drástica y duradera sobre el éxito de una nación y en la capacidad económica individual de la ciudadanía. La cuarta pregunta importante sobre economía es tan significativa como las primeras tres pero pocas personas comprenden lo esencial que es, porque la mayoría no logra entender cómo funciona realmente el dinero.

La buena moneda

En esencia, la moneda es un depósito de riqueza. Es un depósito (o ahorros) del duro trabajo, los riesgos y el esfuerzo de una persona. Una buena moneda también es mucho más fácil de intercambiar que los frutos reales del trabajo de una persona. Por ejemplo, un granjero que intenta guardar huevos y cambiarlos por ropa algunos meses después descubrirá que se arruinaron y perdieron su valor antes de que los pudiese gastar. Sin embargo, si los puede vender hoy mismo y ahorra el dinero que obtiene por ellos, la moneda seguirá siendo valiosa dentro de seis meses cuando quiera comprar ropa para su familia.

Las personas de todas las clases sociales experimentan este sencillo ejemplo que se multiplica todos los meses en millones de formas diferentes, y una buena moneda les permite guardar su riqueza y usarla cuando realmente la necesiten. Esto les permite pagarse primero, ahorrar para emergencias, ahorrar para grandes compras e invertir en ellos mismos y en los negocios. Si intentaran hacer esto con manzanas o leche, perderían el fruto de su trabajo.

Como resultado, las sociedades con una buena moneda desperdician mucho menos su prosperidad (venden los huevos antes de que se arruinen) y aumentan su afluencia mucho más rápido que las naciones sin una moneda provechosa.

Existen varias características importantes de una buena moneda:

1. Conserva de manera eficaz la riqueza y dura más tiempo (longevidad).

2. Se puede dividir fácilmente de manera que las personas pueden usarla para comprar cosas de diversos precios (divisibilidad).

3. Es fácil de medir (mensurable).

4. Es fácil de transportar (transportabilidad).

5. Mantiene un valor estable (estabilidad).

6. Evita que los gobiernos y los bancos nacionales gasten más de lo que tienen (inalterabilidad).

La mayoría de los libros de textos solo enseñan las cuatro primeras características de una buena moneda pero las últimas dos son esenciales. En efecto, mantener el valor de una moneda estable y un gobierno honesto es más importante que la divisibilidad, la longevidad, la mensurabilidad y la transportabilidad. Y a lo largo de la historia, el oro es la única moneda que ha demostrado poder reunir todas estas características importantes.

Tipos de moneda

Existen varios tipos de moneda. Uno es el dinero mercancía, que significa que tiene valor propio porque es algo que las personas quieren. Como ya dijimos, para que sea útil, el dinero mercancía tiene que medirse y dividirse fácilmente, y debe perdurar. Por lo tanto, los huevos y las zanahorias, aunque tengan un valor intrínseco, no serán buenos depósitos de valor. El trigo y el maíz duran un poco más que los huevos y las zanahorias pero no lo suficiente para ser una buena moneda. Y acarrear los barriles de trigo es un poco incómodo.

Los metales preciosos se han convertido en el dinero mercancía estándar. Dado que son raros, las

> **El oro es la única moneda que ha demostrado que puede tener todas las propiedades importantes del dinero.**

personas los quieren y cumplen con los otros requisitos como divisibilidad, mensurabilidad y longevidad. Han demostrado ser buenos depósitos de riqueza porque su valor permanece estable con el tiempo. En verdad, el oro estándar (con plata para las monedas pequeñas y las compras) ha sido la única moneda estable a lo largo de la historia.

Un segundo tipo de moneda es el dinero con respaldo metálico, lo que significa que tiene un billete o un cheque o un certificado, y puede cambiarlo por oro o plata cuando lo desee. Esto facilita el transporte de grandes sumas cuando las personas viajan.

Otro tipo de moneda es el dinero de curso legal, que se utiliza como moneda solo porque el gobierno lo indica (por orden o decreto). El dinero de curso legal no está respaldado por metales preciosos o mercancías y lo aceptan otras personas siempre que crean que puede ser utilizado para comprar bienes y servicios reales. A lo largo de la historia, hubo numerosas pérdidas de riqueza cuando las personas intercambiaban sus productos o trabajo por dinero de curso legal y luego descubrían que otros se negaban a aceptarlo como moneda.

De hecho, a menudo los gobiernos imprimen dinero de curso legal a propósito porque quieren gastar más de los fondos asignados con los que cuentan. De modo que solo lo imprimen en un determinado papel, le agregan su sello de aprobación y lo gastan. Cuando esto sucede, pueden comprar cosas a precios actuales pero ni bien hacen esto, la moneda sufre inflación.

Inflación

La inflación significa que la moneda es menos escasa de manera que, a partir de ahora, las personas necesitarán más de ella para hacer compras. En otras palabras, hay más moneda en circulación intentando comprar la misma cantidad de bienes. Como resultado de esto, los precios aumentan y las cosas cuestan más.

Al mismo tiempo, los salarios y contratos por lo general siguen iguales, de modo que las personas perciben el mismo ingreso pero casi no pueden comprar nada de lo que podían comprar antes.

Si las personas imprimieran un valor en una pieza de papel y compraron cosas con él (aunque las personas que lo aceptaran no pudieran comprar nada con él o compraran menos), serían arrestados por falsificación y fraude. Esto es precisamente lo que sucede cuando las personas giran cheques sin fondos. Pero esto es exactamente lo que la mayoría de los gobiernos hace y ha causado numerosas recesiones y depresiones económicas a lo largo de la historia.

Los artífices de la Constitución norteamericana declararon inconstitucional que el gobierno de EE.UU. use dinero fiduciario. (Obligan a que toda la moneda sea en oro y plata). Pero el gobierno ha encontrado formas de violar este principio durante casi todo el último siglo de historia estadounidense. Hoy en día, la mayoría de los gobiernos modernos imprimen dinero fiduciario y lamentablemente Estados Unidos es uno de los líderes en esta práctica.

Exprimir a la clase media

Esta decisión de los gobiernos de depreciar la moneda es especialmente dura para la clase media, la cual tiende a mantener sus ahorros (si los tuviera) en efectivo o en el banco. Los adinerados, por el contrario, conservan poca moneda en mano pero destinan la mayor parte de sus ahorros a otras cosas: oro, plata, joyas preciosas, terrenos, bienes raíces, propiedades comerciales, inversiones y otros.

Cuando el gobierno deprecia la moneda para poder gastar más, estos bienes no monetarios de los adinerados no pierden su valor pero el dinero que la clase media tiene en el banco no vale lo mismo que antes.

ADEMÁS DE SUS AHORROS EN EFECTIVO, RESERVE UN MONTO PARA GUARDARLO EN ALGO MÁS QUE DINERO DE CURSO LEGAL.

Cuando los gobiernos usan dinero fiduciario, la división entre las clases adineradas y la clase media crece de manera constante. En esas circunstancias, para las personas de las clases medias se hace más desafiante pagar sus cuentas, mientras que los adinerados se enriquecen, naturalmente. Este es el sistema que seguimos en la actualidad pero la mayoría de las personas no se da cuenta de lo que sucede.

De hecho, el líder soviético Vladimir Lenin una vez dijo: "La mejor forma de destruir el sistema capitalista es corromper la moneda". Corromper literalmente significa alterar, que proviene de la antigua práctica de mezclar metales de menor grado con metales más preciosos. El razonamiento de Lenin era que esta estrategia acabaría exitosamente con la prosperidad de la clase media de forma tal que casi ninguna de las personas comunes sabría qué sucedió. Lamentablemente, se ha demostrado que esto ha sido así.

Una buena moneda de metal estable no permite que esto suceda. En verdad, una forma de decir si un político realmente sustenta las necesidades de la clase media es cuánto apoya el fin de la moneda fiduciaria y la adopción o el mantenimiento del patrón oro. Desde luego que esto solo no es la única medida de la sinceridad del funcionario electo pero es un claro indicio de si se enfoca en ayudar a la clase media y si comprende cómo funcionan las cosas.

Como ya mencionamos, casi nadie comprende realmente el poder de la moneda. Si más personas supieran lo importante que es, más naciones modernas adoptarían el patrón oro (suponiendo que a las personas les dieran la opción de elegir sobre este tema).

En la actualidad, casi todas las naciones usan dinero fiduciario. Debido a esto, es importante conocer más sobre la historia del oro y la necesidad de un metal y una moneda respaldada por el metal en el mundo moderno. Hablaremos más sobre esto en el siguiente capítulo.

VEINTITRÉS

Una breve historia sobre el oro

"Impuestos bajos, dinero estable. ¿Realmente podría ser tan simple? La idea de que impuestos más bajos podrían conducir a una economía más saludable y vibrante (y finanzas gubernamentales más saludables y vibrantes) es eterna y posiblemente evidente".
—NATHAN LEWIS

Algunas personas creen que el oro fue diseñado por Dios específicamente para utilizarse como dinero. Sea esto cierto o no, el oro tiene sus ventajas. Es maleable, no perecedero, químicamente inerte y bastante denso. Se puede trabajar en láminas tan delgadas como la quinta millonésima parte de una pulgada y de una onza de oro se puede extraer un alambre de cincuenta millas de largo. Con una onza de oro se puede lograr una superficie de 100 pies cuadrados.

Resumiendo, es bastante noble. Existen historias de refugiados cargando oro en sus cuerpos para escapar con la riqueza, y la mayoría del oro de la Tierra que se ha extraído aún está dando vueltas. Todo el oro disponible podría fundirse en un bloque de 60 x 60 x 60 pies de tamaño, ¡un cubo que pesaría de 125 a 135 mil toneladas! Este bloque podría caber fácilmente en un solo carguero. Todo esto muestra lo escaso que es el oro.

La historia de la humanidad está repleta de obsesiones con el oro y advertencias al respecto. Por ejemplo, en el siglo V, Píndaro denominó al oro hijo de Zeus. Notó que ni las polillas ni la herrumbre lo devoran pero que generalmente devora y controla la mente de un hombre.

John Ruskin contó la historia de un hombre que tenía una bolsa de oro en un barco durante una tormenta. Tenía que saltar del barco para nadar hasta la costa para salvarse pero nunca llegó porque trató de aferrarse a su pesada bolsa de tesoro. La moraleja de la historia es clara: ¿El hombre era dueño de una bolsa de oro o en realidad el oro era su dueño?

Otras monedas

Se ha determinado que el oro es la mejor moneda en casi todas las civilizaciones de la historia y ha sido altamente valorado durante miles de años. El autor Addison Wiggin escribió:

> Incluso las personas que no tienen nada en común, de alguna forma pueden estar de acuerdo con otras. ¿En qué estaban de acuerdo Karl Marx y Andrew Carnegie? En que el oro es el único dinero que vale la pena...
>
> "A lo largo de la historia, se rechazaron muchos tipos de monedas... a favor del oro: conchas de cauri, vacas, trigo, discos de piedra gigantes, collares de cuentas, calderas y trípodes de hierro, aros de metal, cobre, bronce, plata e incluso granos de cacao y dientes de ballenas".[18]

Nada de esto perduró

Con los años, muchas personas y gobiernos han intentado manipular el oro mezclándolo con otros metales pero esto puede ser fácilmente detectado por cualquier comerciante con una balanza. Debido a esto, el oro y la plata tienen la capacidad especial de mantener la transparencia de gobiernos, bancos y otros usuarios en sus operaciones.

Como lo expresó el historiador Nathan Lewis: "Los centros comerciales del mundo han utilizado una u otra variante del oro durante gran parte de los últimos tres milenios. Y por una buena razón: el oro obliga a que los gobiernos sean físicamente responsables [porque incluso los gobiernos no pueden crear oro fiduciario] y ofrece un ambiente estable para un rápido crecimiento económico así como un ambiente seguro para que los inversores individuales hagan prosperar su propia riqueza".[19]

Papel moneda

De modo que si el oro es una moneda tan maravillosa, ¿cómo es que el mundo dejó de usarla?. Todo comenzó cuando se inventó el papel moneda para facilitar el transporte de las riquezas. Los forjadores les guardaban el oro a las personas y les entregaban recibos para verificar la cantidad que tenían depositada. De esta manera, las personas podían viajar a otra ciudad o país y usar el recibo sin tener que cargar grandes baúles de oro en sus vagones o barcos. Con el tiempo, las personas simplemente comenzaron a intercambiar los recibos ellos mismos por bienes y servicios.

Algunos forjadores arteros incluso comenzaron a emitir más recibos que el oro que tenían, lo que les permitía gastar más de lo decían que en realidad tenían. Podían hacer esto siempre y cuando no les pidieran todo el oro de una sola vez. Esto provocó algo denominado *reserva bancaria fraccionaria,* un sistema en el cual los bancos prestan más dinero del que en realidad tienen en mano.

En la actualidad, esto es legal y es una práctica común en la mayoría de las naciones. Pero en momentos de graves dificultades económicas, ha habido corridas en los bancos en las que todos intentaron retirar su dinero al mismo tiempo, y los bancos se vieron obligados a cerrar. Los gobiernos decretaron incluso "feriados bancarios," lo que significa que cierran el banco por un tiempo esperando disipar el pánico y detener dichas corridas bancarias. En muchos casos, esos bancos nunca volvieron a abrir y las personas sencillamente perdieron sus ahorros.

Hace muchos años, en el siglo VIII de nuestra era, los líderes de China comenzaron a emitir dinero fiduciario, moneda en papel que no podía cambiarse por oro o plata. Este dinero lucía como recibos de oro y las personas lo tomaban porque el gobierno respondía por su valor y los obligaba a aceptarlos.

Lo repetimos: los gobiernos a menudo se salen con la suya porque la clase media no comprende qué está sucediendo y las clases más altas no los detienen porque guardan gran parte de su dinero en bienes no fiduciarios. Como ya dijimos, esta es una de las principales formas de enriquecerse para las clases gobernantes.

De modo que paso a paso, con el tiempo, el mundo cambió de la moneda del oro sólido al dinero inflable del papel fiduciario.

Cómo funciona la inflación

Los conceptos del dinero fiduciario y la inflación pueden resultar difíciles de comprender. Piénselo de esta forma. Imagine que se encuentra en una subasta de pasteles para recaudar fondos con sus exploradores locales o el grupo de jóvenes de la iglesia. Todos ofrecen dinero por los pasteles y algunas personas pagan hasta $20 o $30 por un pastel. Es por una buena causa, de modo que se suma a la oferta. Sabe que puede conseguir un pastel en Wal-Mart o incluso en la panadería por mucho menos. Pero sus hijos lo miran esperando que sea uno de esos buenos padres, de modo que participa de la situación y ofrece dinero por uno o dos pasteles.

Luego alguien se pasea por el salón y le entrega a cada persona $150 en billetes de $10. Observa su reciente pila de billetes por un total de $150 y mira a su alrededor y ve que los demás reciben el mismo monto. "¡Genial!" se dice a sí mismo.

Su primer pensamiento es guardar ese nuevo dinero en su billetera y dejarlo para su fondo de ahorros de $1.000. Pero de repente se subasta el siguiente pastel. ¿Qué cree que sucedió con la subasta? El precio de los pasteles promediaba de $12 a $18, pero las cosas son diferentes ahora. ¡Todos tienen $150 solo en billetes de $10! Entonces ¿qué hacen?

Sabe lo que sigue. Alguien ofrece $30 por el pastel, otro padre lo sube a $50 y en poco tiempo no podrá obtener un pastel por menos de cien dólares.

Así es como funciona la inflación. La gran diferencia es que en la subasta, alguien le *ofreció* el dinero pero en la vida real, el gobierno se lo pide prestado a China, y solo se lo entrega a *algunas* personas. O "imprimen" el nuevo dinero y hacen que esté disponible para un pequeño círculo de banqueros que están en el juego con ellos.

Ah, y al jueves siguiente, recibirá la boleta de un impuesto en el correo para cubrir lo que se "redistribuyó". Pero dado que el gobierno paga interés por el dinero que entregó, y como algunas de las personas no pagan impuestos por una cantidad de motivos, su boleta es de $187 en lugar de los $150 que recibió en la subasta. Además, ¡ya gastó el dinero en un pastel! [En realidad, ya que está aplicando todos los principios de la solvencia cubiertos en este libro, se ahorró $15 (pagándose primero el 10%), pagó $15 de sus deudas, y dejó $15 en un fondo para un nuevo automóvil. De modo que terminó con un pastel de $90.].

Lo mismo sucede en la vida real. Cuando el gobierno imprime más dinero, eso no significa que de inmediato habrá más productos en las tiendas. Hay más dinero pero la misma cantidad de cosas para comprar. Por lo tanto hay menos demanda de dinero (porque ahora hay más) pero la misma demanda de artículos en las tiendas, de modo que el precio de las cosas naturalmente aumentará. Esto es la inflación.

¿Es un robo?

Seamos claros: la inflación apesta. Y la principal causa de la inflación es la impresión o producción de más dinero fiduciario por parte de los gobiernos. Cuando hacen esto, los comerciantes pronto se dan cuenta de que hay más moneda en la economía y los precios suben así como subieron en la subasta ficticia del pastel. Esto sucede ahora mismo, hoy y esta noche mientras duerme. Hay un antiguo dicho que dice que el interés nunca duerme, y así es. Tampoco la inflación.

Es por eso que el patrón oro es tan importante. Las naciones que usan el patrón oro no utilizan moneda fiduciaria y como resultado, la inflación es muy baja o inexistente porque un gobierno simplemente no puede producir más oro. Así es como le gustaría que actúe su país.

A medida que analizamos los principios de la solvencia en este libro, hemos hablado mucho sobre no desperdiciar su dinero en compras innecesarias, resistirse a la adicción a las compras incluso cuando pueda pagar algo, evitar comprar cosas a crédito y ser disciplinado con sus ahorros. Pero cada vez que produce moneda fiduciaria el gobierno le sigue quitando parte de su dinero ganado con esfuerzo. Luego le envía una boleta de impuestos para cubrir el costo de inflar su dinero.

Siempre que la mayoría de las personas la apoyen, esta práctica continuará en vigencia. Frederic Bastiat denominó este tipo de comportamiento del gobierno "saqueo legal". Es legal porque el gobierno hace las leyes pero sigue siendo una forma de robar.

Soluciones

Desde luego, la gran solución a este tipo de saqueo es convencer al gobierno para que deje de usar dinero fiduciario e implemente el patrón oro. Si esto no sucede, siga intentando y siga informando a las personas. Haga que lean este libro para que se den cuenta de lo que es un verdadero negocio.

Si un cantidad suficiente de personas apoyan este cambio, el gobierno de su pueblo eventualmente se tendrá que rendir. Mientras tanto, existen formas de usar los productos de manera inteligente para guardar sus ahorros con mayor seguridad. Siempre guarde algo de dinero y algunos ahorros en el banco. Consulte la Jerarquía de inversión USTED, Inc., que se trató anteriormente. Y en algún momento, piense en invertir en oro y plata.

Probablemente reciba el pago en su empleo o empresa en papel, dinero fiduciario. Si coloca algo de ese fruto de su trabajo en metales preciosos le será más fácil conservar sus ahorros durante las recesiones económicas e incluso protegerlos de la tasa de inflación normal.

En 1933 Estados Unidos abandonó el patrón oro y muchos economistas creen que esto tuvo un impacto directo en el agravamiento de la Gran Depresión. En ese momento, los bancos extranjeros aún podían cambiar la moneda estadounidense por oro pero los ciudadanos estadounidenses no podían hacerlo. De hecho, era ilegal tener oro (excepto las joyerías y las monedas de oro de colección) y durante varios años, las personas debían entregar su oro a cambio de moneda fiduciaria. Luego, en 1971, EE.UU. dejó de entregarle oro a *cualquiera* a cambio de su moneda. Esto sigue siendo ley en EE.UU., aunque las personas ahora pueden tener oro.

En comparación, China hizo legal la posesión de oro en 2004, y en 2011 la Bolsa de valores de Hong Kong comenzó a comerciar plata. En 2012, muchos inversores chinos dejaron de comprar dólares estadounidenses y comenzaron a aumentar sus inversiones en oro. China es el productor de oro más grande del mundo y es el segundo importador de oro más grande del mundo.[20] En comparación, en 1980, 15% de los estadounidenses poseían plata, comparado con menos del 1% en la actualidad.[21]

Mucho menos del 1% de los estadounidenses tiene ahorros en dólares.[22]

Advertencias

Tenga en cuenta que por lo general es malo cambiar el dinero por oro si primero no ha invertido en usted. Invierta en su conocimiento, liderazgo, solvencia, desarrollo personal y en su profesión y empresa antes de comenzar a almacenar metales.

INVESTIGUE LAS INVERSIONES EN METAL, O LAS DE CUALQUIER OTRO TIPO, ANTES DE EFECTUAR UNA COMPRA. HAGA SU TAREA. TÓMESE SU TIEMPO.

No cuente con que el dinero en metales subirá mucho su valor. Por lo general será bastante estable. Si sube en algún momento, no especule. Cambie su dinero por metal para guardarlo y ahorrarlo con mayor seguridad, no para obtener un gran rendimiento. Pero sin dudas el dinero fiduciario perderá valor, de modo que es útil tener ahorros más estables en oro o plata.

Invertir en metal es como congelar frutos. El fruto de nuestro trabajo, si está en forma de dinero fiduciario perecerá con la inflación. "Congele" este fruto para preservarlo en su totalidad convirtiéndolo en metales preciosos. Pero así como nadie espera que su fruto congelado se multiplique, tampoco debe esperar que sus metales preciosos aumenten de valor. Solamente servirá para "congelar" los frutos de su trabajo.

> **Invertir en metal es como congelar fruta.**

Por ejemplo, el dólar estadounidense ha perdido 96% de su

poder adquisitivo desde el año 1913. Eso se debe en gran parte a la impresión de moneda fiduciaria por parte del gobierno. En cambio, una onza de oro en 1913 y hoy en día comprarían las mismas cosas. De modo que cuando parece que el oro aumenta su valor, medido en dólares estadounidenses, por ejemplo, solo está indicando verdaderamente cuánto se infló la moneda.

Como dijimos antes, no invierta en cosas sobre las que no sabe porque probablemente cometerá muchos errores y perderá dinero. Si desea destinar parte de sus ahorros en efectivo a los metales, cuando lo haga, primero asegúrese de hacer los deberes.

En ocasiones, cuando compra oro, parte del costo se dirige al valor de las monedas para los coleccionistas. Por el contrario, cuando compra lingotes paga solo por el valor del metal. Pero muchos países, incluido Estados Unidos, le permiten al gobierno confiscar lingotes de oro en época de crisis nacional. Existen cantidades de matices como estos, así que no compre hasta estar preparado y conocer el tema.

También hay gran cantidad de estafadores y sinvergüenzas, y malos consejos en torno a las inversiones en oro y plata. También existen empresas confiables, así que investigue. El principio general es obtener la mayor cantidad de metal por la menor cantidad de dinero. Una vez más: como cualquier inversión, estudie realmente el tema en detalle para que no lo estafen.

No se quede demasiado atrapado en esto, conozca sobre metales y úselos para ayudar a proteger sus ahorros. No sea como Craso en la antigua Roma que era un tirano hambriento de dinero. Un relato de su muerte dice que lo mataron sus enemigos que le derramaron oro fundido en la garganta. En lugar de dejarse influenciar por el oro o las riquezas de cualquier tipo, concéntrese en la solvencia y deje que los principios incrementen naturalmente su prosperidad.

Por sobre todo, como hemos dicho varias veces, concéntrese

en usar las bendiciones que Dios le brinda para SU gloria. Su cometido es lo que realmente importa, de modo que hágalo de manera inteligente.

Asegúrese de lograrlo

Conozca formas de aplicar lo que ha aprendido en este capítulo y entre en acción. Sea inteligente al investigar dónde guardar su dinero además de los ahorros en efectivo. Realice un plan para estudiar las inversiones en los metales. Sepa realmente lo que hace antes de comprar y analice sus planes con su asesor.

VEINTICUATRO

La quinta gran pregunta económica: ¿Cuál es su emprendimiento?

"Ningún emprendimiento puede existir por sí mismo. Se ocupa de una gran necesidad, presta un gran servicio, no para sí mismo sino para los demás; si no lo hace, deja de ser rentable y deja de existir".

—CALVIN COOLIDGE

Ya hemos hablado de las primeras cuatro grandes preguntas sobre economía que forman las reglas de cualquier sociedad y su campo de juego para el éxito económico. Conocer estas reglas y los límites del campo de juego es fundamental para ser solvente. En síntesis, las primeras cuatro preguntas son:

1. ¿Cómo satisfacen las personas las necesidades de su vida?

2. ¿Quién estará a cargo de crear y hacer cumplir las reglas? (¿Quién será el encargado de dirigir?)

3. ¿Cómo harán las personas para evitar que los gobernantes roben los frutos de su trabajo? ¿Cómo se encargará el pueblo de mantener al gobierno bajo control?

4. ¿Qué se utilizará como moneda?

La libertad y la prosperidad florecen cuando las sociedades responden a estas preguntas adoptando lo siguiente: un sistema económico de libre empresa, que gobiernen las mismas personas en lugar de un pequeño grupo selecto, un gobierno libre fuerte pero con límites, que respete una buena constitución, y una moneda estable.

Cómo prosperar

Si su país no ha adoptado ninguna de estas cosas, aún puede ser solvente si sigue los principios descritos en este libro pero le será más difícil. Como dijeron Chris Brady y Orrin Woodward: "Cuantas más personas ignoren la economía, más dinero y riquezas les quitarán y más difícil será la vida".[23]

Con el tiempo, los pueblos se mueven en dirección a "menos libres y menos prósperos" o "más libres y más prósperos". Parte de la solvencia a largo plazo es usar su influencia para ayudar a que su país se mueva en la dirección correcta.

Si su sociedad ha adoptado todas estas cosas positivas (libre empresa, gobierno libre, una buena constitución que controle al gobierno y el patrón oro), verá un enorme crecimiento de la fortaleza y riqueza. La aplicación de los principios de la solvencia será más fácil y los rendimientos naturalmente serán mayores.

Pregunta n.° 5: ¿Cuál será su emprendimiento?

Como sea, esta quinta pregunta es clave, y solo usted puede responderla realmente. La buena noticia es que tiene verdadero control sobre su respuesta a la quinta pregunta importante sobre economía:

5. ¿Cuál será su gran emprendimiento en estos momentos y en un futuro inmediato?

Esta pregunta es el corazón de la grandeza, a nivel individual y nacional. ¿Cuál será su emprendimiento? Ya tratamos este tema en el capítulo sobre elegir su empresa pero a gran escala: una sociedad de personas que eligen su empresa es uno de los temas más importantes de la macroeconomía. Algunas sociedades son emprendedoras y por lo tanto, libres y ampliamente prósperas, mientras que otras no lo son.

Emprendimiento es una palabra profunda. Proviene de una palabra francesa del siglo XV, *entreprende,* que lleva el significado directo de "emprender" y también el significado más general de "espíritu de coraje".[24] El diccionario menciona los siguientes sinónimos para la palabra emprendedor: decidido, resuelto, empresario, operación, privada y libre.[25] El *Oxford English Thesaurus* también agrega los siguientes sinónimos: negocio, iniciativa, inventiva, entusiasmo, dinamismo, audacia, coraje y arriesgado.

Esta quinta pregunta eliminar es la que se hace toda sociedad y nación, como así todo negocio, familia o persona. ¿Qué apoyamos? ¿Por qué nos van a conocer? ¿Quiénes somos? ¿Cómo viviremos nuestras vidas? ¿Cuál es nuestro emprendimiento?

Cuando las naciones se preguntan esto, es la última de las cinco preguntas importantes sobre macroeconomía. Cuando los negocios, familias o personas se preguntan lo mismo, es el comienzo de la microeconomía, como ya lo hemos discutido. Por lo tanto, es una pregunta vital para ambos campos. Como dijeron Brady y Woodward:

> ¿Cómo se crea la riqueza? ¿Cómo se mantiene la riqueza? ¿Cómo hacen las personas para intercambiar recursos? La mayoría de las personas ven estas cosas como misteriosas o como algún tipo de... magia. Otros piensan que estos tipos de preguntas realmente no interesan. Pero son muy importantes. Determinan su libertad y su estilo de vida. La economía se reduce a elecciones, y en

última instancia, ¿quién tomará las decisiones, usted o el gobierno?

La historia muestra la verdad sobre lo que funciona y lo que no. No existe el burócrata o agencia de gobierno que pueda tomar cientos de millones de decisiones tan bien como las personas comunes.[26]

Además, no existe gobierno que pueda tomar decisiones en su nombre mejor que usted mismo.

INVIERTA AÚN MÁS EN USTED: APRENDA A SER LA CLASE DE PERSONA QUE PARTICIPA UNA Y OTRA VEZ EN EL TIPO DE VIDA EMPRENDEDOR, CREATIVO Y APASIONADO. OCUPE SUS DÍAS EN EMPRENDIMIENTOS, PROYECTOS, ACCIONES Y COSAS IMPORTANTES. ENSÉÑE A SUS HIJOS Y A SUS COLEGAS A HACER LO MISMO. CONVIÉRTASE EN ESA CLASE DE PERSONA Y LÍDER QUE TRABAJA SISTEMÁTICAMENTE EN SU EMPRENDIMIENTO ACTUAL.

A medida que más personas asuman el enfoque emprendedor para la vida, la sociedad en su totalidad se verá enormemente influenciada para mejor. El emprendimiento colectivo, elegido individualmente, de una nación de personas libres es una de las fuerzas más poderosas de la historia de la humanidad.

Invierta en usted aprendiendo a ser la clase de persona que participa sistemáticamente en el tipo de vida emprendedor, creativo y apa-

> **El emprendimiento colectivo, elegido individualmente, de una nación de personas libres es una de las fuerzas más poderosas de la historia de la humanidad.**

sionado. Llene sus días de emprendimientos, proyectos, acciones y cosas importantes. Enséñeles a sus hijos y a sus colegas a hacer lo mismo.

La libre empresa disminuye cuando las personas se vuelven complacientes o apáticas, dejan las cosas a los demás o al gobierno, o solo van a trabajar, miran televisión y se van a dormir. Conviértase en esa clase de persona y líder que trabaja sistemáticamente en su emprendimiento actual. Al hacer esto, y ayudar a los demás a hacer lo mismo, tendrá una influencia a largo plazo.

VEINTICINCO

El camello en la tienda de campaña

"Un centavo ahorrado es un descuido del gobierno".
—CHRIS BRADY

Evalúe su economía nacional (y la economía mundial) y prepárese en consecuencia. Los próximos años pueden traer pequeños altibajos económicos, como los que normalmente suceden a cualquier economía con el transcurso del tiempo. O pueden traer impactos de tamaño moderado, como la Gran Recesión de 2008 - 2013, en la que gran parte de la economía sufrió pero algunos sectores y empresas siguieron creciendo.

Incluso pueden traer una recesión muy grande, como la Gran Depresión o la enorme crisis que sucedió en la década de 1860, en la que casi todos sufrieron y la economía quedó paralizada durante un largo período. En realidad, la economía se mueve en ciclos y lamentablemente, en algún momento de la próxima década puede haber otro desafío económico importante.[27] Pase lo que pase, aquellos que se hayan preparado para tales acontecimientos estarán listos y podrán ayudar a los demás si las cosas empeoran (e incluso si esto no sucede).

Durante años, los economistas intentaron predecir los altibajos de la economía pero se ha demostrado que esto es una tarea bastante delicada. El pronóstico del clima es más preciso que la mayoría de las predicciones económicas, de modo que es importante estar preparado para cualquier cosa. Dicho esto, parte de ser solvente es estudiar economía y prestar atención a lo que sucede en el mundo.

Economía austríaca

Tan imprecisos como tienden a ser la mayoría de los pronósticos económicos, existe un grupo de pensadores del área que ha proporcionado constantemente los mejores comentarios y sugerencias económicas. La escuela austríaca de economía, como se la denomina, es la mejor, más antigua y consistente en la predicción del ciclo económico. Entre los autores más reconocidos de la escuela austríaca se encuentran Friedrich Hayek, Ludwig von Mises y Murray Rothbard.

Mientras la mayoría de los economistas se concentran en modelos económicos y usan un lenguaje técnico que escapa al conocimiento de muchas personas comunes, los economistas austríacos enseñan economía de una forma diferente. Según los pensadores austríacos, la economía es simplemente el estudio de la acción humana.

Al comprender con claridad la acción humana, podremos tener una noción de las tendencias económicas y financieras pasadas y obtener una mejor visión de lo que probablemente se avecine. La visión austríaca del ciclo comercial (los altibajos de la economía) es clara y comprensible. Lamentablemente, pocos gobiernos la han utilizado para tomar importantes decisiones. Todas las noches, las noticias dan fe de estos resultados. Pero aquellos que buscan ser solventes deben aprender mucho del ciclo comercial austríaco.

El ciclo comercial

El nombre "escuela austríaca" apareció como el resultado de varios economistas (los más notables son Hayek y von Mises) que se escaparon de Austria por el avance del poder Nazi antes de la Segunda Guerra Mundial, durante el mismo período que la película clásica *La novicia rebelde*. Este grupo de pensadores se oponía abiertamente a la concepción Nazi y también estaba en contra de las crecientes filosofías comunistas. La mayoría de estos economistas llegaron a Estados Unidos y sus escritos sobre economía se vieron influenciados por la sabiduría de sus ideas sobre libertad y sus experiencias personales al observar que su nación perdía su libertad.

Según la opinión austríaca, las recesiones, depresiones y otras crisis de la economía tienen lugar por dos motivos: 1. demasiado crédito bancario (y la deuda que le sigue) y 2. interferencia bancaria central en las economías. El problema es que estas dos cosas mantienen tasas de interés demasiado bajas por mucho tiempo.

Cuando el crédito es demasiado fácil y las tasas de interés son muy bajas, el resultado es un amplio uso de la deuda, la especulación y la creación de burbujas económicas y pocos ahorros. En síntesis, cuando los bancos centrales mantienen tasas de crédito más bajas que las que el libre mercado tendría normalmente, muchas personas, empresas y gobiernos dejan de ahorrar, gastan los ahorros que tenían y usan el crédito para gastar aún más.

Al mismo tiempo, hay menos inversión porque el costo de los préstamos es artificialmente muy bajo. Los negocios solo usan el crédito en lugar de buscar inversores reales (que suelen ser guías y mentores inteligentes). Estos problemas por lo general conducen a una cantidad de errores comerciales en poco tiempo porque los gerentes de negocios se distraen o se los engaña con números financieros sesgados que acompañan tasas de crédito artificialmente bajas.

Cuando el clima de grandes deudas, grandes gastos, pocos ahorros, poca inversión y malas elecciones comerciales empeora lo suficiente, el mercado reacciona y ocurre la recesión. Las burbujas se rompen, lo que significa que los sectores de la economía con demasiadas deudas (y sin ahorros suficientes) se ven gravemente afectados.

Las grandes compañías suelen cometer una cierta cantidad de errores en cuestión de meses, y rápidamente le sigue la explosión de más de una burbuja. Esto provoca una crisis económica.

Algunas crisis son pequeñas mientras que otras son mucho más grandes, según los niveles de deudas, gastos, ahorros y errores comerciales. Las malas políticas gubernamentales pueden empeorar las crisis. Algunas crisis pueden llegar al punto de la depresión, con 25% o más de desempleo, muy poca producción y otros problemas económicos importantes.

Soluciones que funcionan

La solución a las crisis económicas, según los economistas austríacos, equivale a la forma de evitarlas. En primer lugar, si una nación utiliza el patrón oro, en realidad no hay necesidad de un banco central. Con un patrón oro, los bancos solo podrán prestar lo que tienen en las reservas de oro, de modo que no habrá demasiado crédito (ni deuda) y todo el sistema permanecerá firme.

Si una nación tiene un patrón oro pero les permite a los bancos prestar más de lo que tienen en la reserva, el gobierno debe regular los bancos para mantener esa cantidad que prestan por encima de sus reservas lo más baja posible.

En segundo lugar, en su mayoría, los gobiernos no deben intervenir en la economía sino dejar las cosas al libre mercado. Los gobiernos deben prevenir la comisión de delitos importantes, fraudes e incumplimiento de contratos pero permitir que la libertad siga su curso más allá de estos pocos casos.

Tercero, dejar que el libre mercado determine las tasas de interés previene la formación de burbujas. La mayoría de las personas piensan que las bajas tasas de interés son algo bueno porque muchas personas pueden pedir prestado gran cantidad y ahorrar muy poco. No obstante, si tiene dinero ahorrado, le conviene que las tasas de interés suban porque ganará más interés. En otras palabras, las bajas tasas de interés fomentan la deuda y el gasto excesivo (de los gobiernos, las empresas y las personas), mientras que las tasas de interés fijadas por el libre mercado incentivan el ahorro y las inversiones firmes.

El papel de los emprendedores

Cuarto, los emprendedores son las mejores personas para determinar qué inversiones son firmes, ya que se enfrentan al riesgo de fracasar. Si sus inversiones no tienen éxito, el gobierno y las personas no tienen que hacerse cargo de sus pérdidas (en un verdadero sistema de libre mercado). Y si sus inversiones son rentables, muchas personas se beneficiarán con los empleos que brinden, el dinero que gasten e inviertan con sus ganancias (lo que generará más empleos y aumentará las ganancias de otras empresas) y los ahorros que coloquen en los bancos y otros lugares.

En las economías libres, las cosas que reciben las mayores recompensas son aquellas que suponen un mayor riesgo. Por eso, los emprendedores son contribuyentes muy importantes para la prosperidad y el progreso de la sociedad. Si los emprendedores tienen libertad de acción, traerán más abundancia a las naciones en la que trabajan. Y si hay muchos emprendedores en acción, el daño provocado por aquellos que cometen errores no tendrá mayores consecuencias.

Si a los emprendedores no se los trata bien en una nación, deciden abandonarla y llevarse su trabajo y capital con ellos. También se llevan mucha de la creatividad y el espíritu emprendedor de la nación. Esto siempre trae como consecuencia la decadencia de la nación que abandonan.

> **Si se da a los emprendedores libertad de acción, traerán más afluencia a las naciones en las que trabajan.**

Por cierto, tratar mal a los emprendedores incluye políticas estatales de impuestos elevados, alto niveles de regulación, poca libertad económica, elevada deuda pública, mucha competencia en el mercado por parte del gobierno, o un gobierno grande y en crecimiento.

El sistema de libre empresa funciona si la gente lo permite

En pocas palabras, existe una buena economía cuando la moneda es buena (en oro o respaldada en oro) y muy poca intervención del estado, salvo para mantener las reglas de la libre empresa para todos.

Cuando estas dos reglas son claras y se cumplen, la libre empresa facilita, de forma natural, la alta capacidad de ahorro, una baja deuda, gastos frugales e inversiones sabias en empresas sólidas. Esto mantiene una economía más estable, con pocas burbujas, crisis y grandes recesiones, y ciclos mucho menos violentos.

Siempre habrá altibajos, ya que en la realidad hay guerras, terremotos y otros desastres naturales, además de cambios en el tamaño y los hábitos de consumo de las generaciones. Pero en el sistema actual, en la mayoría de las naciones modernas, los gobiernos y los bancos centrales crean muchas recesiones, burbujas y problemas económicos mediante la intervención de la economía, las tasas de interés forzosamente bajas, las malas políticas, la emisión de moneda fiduciaria y los excesivos gastos, impuestos, intervencionismo y préstamos.

Por desgracia, la mayoría de las naciones modernas son adictas a las grandes deudas, los escasos ahorros, el alto nivel de gasto y el dinero fiduciario. Esto se aplica a los gobiernos y también a la mayoría de los ciudadanos.

Sapos y camellos

¿Cómo llegamos a una instancia en la que la mayoría de los gobiernos de todo el mundo utiliza un mal sistema? Muchas sociedades libres comenzaron con sistemas buenos, pero de a poco se alejaron de su fuerte arraigo al sistema de la libre empresa.

Como dijimos con anterioridad, las clases gobernantes de todas las naciones siempre intentan transformar su sociedad en una economía dirigida. Es interesante que esto casi nunca suceda abiertamente ni con rapidez. La transformación de un gobierno en una aristocracia o su adherencia a un modelo socialista u otras ramas de «gobiernos de pocos» suele darse tras bambalinas, por lo que la clase media no se da cuenta de lo que sucede a tiempo como para votar en su contra. Peor aún, muchas personas de clase media se dejan engañar y «veneran» al gobierno, ayudando así a amarrar las cadenas que coartan su libertad.

Un viejo proverbio dice que cambiar el sistema de libre empresa de una nación por el socialismo es como hervir una rana. Si se la arroja en agua hirviendo, saltará de inmediato. Pero si se la coloca en agua a temperatura ambiente y luego se aumenta la temperatura, se sentirá a gusto hasta que sea demasiado tarde.

Chris Brady propuso un ejemplo similar:

> Durante siglos, los comerciantes que viajaban en caravanas a través de los desiertos subsaharianos ataban a sus camellos a una distancia prudente como para que no intentaran entrar a sus tiendas. Nadie, sin importar cuánto dependiera de sus camellos para transportarse y sobrevivir, elegía alojar al animal en el cálido y cómodo interior de su tienda. [Se sabe que los camellos son notoriamente sucios y tienen muchas pulgas, por lo que no son bienvenidos cerca de las camas.]
>
> Los camellos, sin embargo, se resistían a esta realidad. Sin importar qué tan poco los quisieran en el interior de la tienda de sus amos, aún deseaban una pequeña parte del lujo para sí mismos. Comenzaban empujando la tela de la tienda sólo con su nariz. Si lograban no ser descubiertos, introducían toda la cabeza. De a poco, metían el cuello, y finalmente el cuerpo entero.
>
> De pronto, el animal estaba adentro de la tienda, dis-

frutando de sus comodidades y desplazando a su dueño legítimo.

El gobierno puede... actuar de la misma manera. «Es sólo un recurso temporario hasta que superemos la crisis», dicen, mientras asoman la nariz en el interior de la tienda. «Muy pronto resolveremos el problema», agregan, introduciendo el cuello y la cabeza. Y así sucesivamente. En palabras del presidente Reagan, «no hay nada tan permanente como un programa temporal del gobierno.»

Sin embargo, lo más extraño es que muchos parecen tener la intención de *ayudar* al camello a entrar en la tienda. Pero esta extraña situación puede explicarse con facilidad: no quieren un camello en la de *ellos*: quieren que se meta en la de *usted*.[28]

La solvencia también implica estudiar la historia y los hechos actuales de nuestra nación. Para ser más específicos, se debe estudiar en qué parte del camino hacia una economía dirigida se encuentra. Preste atención a lo siguiente: 1. cambios históricos y actuales en el funcionamiento del gobierno, 2. la adopción de un banco nacional, 3. casos judiciales históricos y actuales que alteren de forma significativa el funcionamiento de la nación y 4. todos los tratados importantes con otras naciones y con organizaciones internacionales. Estas son las cuatro formas más importantes en las que se pierde la libre empresa.

De hecho, la historia de los bancos nacionales (que intervienen en las tasas de interés y suelen imprimir y emitir moneda fiduciaria para el gobierno) es de vital importancia para las personas solventes.

Los que, con alegría, ignoran lo que sucede en el mundo, que (figuradamente) entierran la cabeza en la arena y dejan que los gobiernos, las clases acomodadas y los bancos centrales se apropien de sus tiendas, probablemente merecen las picaduras de las pulgas que los camellos trajeron consigo.[29]

Incluya un estudio de la historia, la libertad y los aconteci-mientos actuales en su plan económico a largo plazo, ya que estos factores tienen un impacto directo en su economía. En el próximo capítulo, abordaremos algunas maneras específicas de lograrlo.

VEINTISÉIS

Prepárese para el futuro

«Cuando se trata del futuro, hay tres clases de personas: las que dejan que las cosas sucedan, las que hacen que las cosas sucedan, y las que se preguntan qué ha sucedido.»
—JOHN M. RICHARDSON

Cuando se trata del futuro, es importante ser uno de los hacen que las cosas sucedan. Para ser solventes es fundamental estudiar la economía nacional y comprender qué es lo que está sucediendo, ya que la riqueza que estamos construyendo debe adecuarse a la macroeconomía. La mayoría no comprende esto, y ese es uno de los motivos por los cuales son «fláccidos» en términos económicos.

Un buen punto de partida es analizar la economía de la nación y tener en cuenta cuán preparada está para los desafíos pequeños, medianos y grandes de los próximos años. Una excelente forma de hacerlo es analizar cómo aplica la nación los principios fundamentales de la solvencia.

Según las enseñanzas del economista Henry Hazlitt, los principios básicos de la economía personal también se aplican en forma directa a grandes instituciones y gobiernos.

> **Los principios básicos de las finanzas personales se aplican en forma directa a las grandes instituciones y también a los gobiernos.**

Califique a su país

Para ver qué tan bien le va a su país, simplemente adapte algunos de los aspectos básicos que desarrollamos en materia de economía personal y transfórmelos en preguntas sobre la economía del país. Por ejemplo:

1.   ¿Su nación ahorra o debe? Por ejemplo, ¿su gobierno tiene una gran deuda o un gran superávit? ¿Produce *algún* superávit? ¿Tiene déficit o superávit este año? ¿Qué hay de los ahorros individuales de los ciudadanos?

    Si su nación es fuerte en estas áreas, está preparada para enfrentar las sacudidas económicas normales que puedan aparecer. Si no, dependiendo del grado de complicaciones, puede estar en camino a un revés económico moderado o importante.

    Por ejemplo, mientras la tasa de ahorro familiar nacional de los Estados Unidos era del 13% en 1960, en los últimos años se ha reducido al 1%, la más baja desde la Segunda Guerra Mundial.[30] En comparación, observe las siguientes tasas de ahorro familiar nacional:

- Austria: 9,8%
- Canadá: 1,1%
- Francia: 12,3%
- Alemania: 10,6%
- Italia: 6,8%
- España: 10,9%
- Reino Unido: 2,5%[31]

    A muchas naciones asiáticas les va incluso mejor.

Por ejemplo, mientras las estadísticas de China suelen ser poco confiables, casi todos los expertos estiman que la tasa de ahorro anual de ese país supera el 25%.[32] Según un informe, la tasa de ahorro combinada de China e India es del 35%,[33] mientras que muchos informes de estas naciones ubican la cifra más cercana al 50%. Pero incluso con el 25%, los ahorros de China superan ampliamente a los Estados Unidos y Canadá.

En Singapur, más del 17% de los hogares cuenta con un patrimonio de más de un millón de dólares, comparado con el 4,3% en los Estados Unidos.[34] El déficit de los Estados Unidos es legendario, y la deuda nacional supera los 16 billones y sigue en aumento. Supera los 53 billones si se tiene en cuenta todo lo que se debe y se ha prometido.

¿A cuánto ascienden los ahorros de su nación en efectivo y metal? Tenga en cuenta tanto los ahorros del estado como los privados. En tiempos difíciles para la economía, las naciones que han ahorrado durante mucho tiempo tendrán más posibilidades que las que tengan ahorros pobres o nulos.

No estamos indicando que se avecinan grandes crisis. En realidad señalamos que los ciclos, en la historia, presentan altibajos. Los momentos difíciles se dan en cualquier economía, al igual que las épocas de paz y prosperidad.

La regla es la siguiente: las naciones económicamente fuertes y bien preparadas para las grandes

> **La mayoría de las personas -y naciones- exitosas siguen un patrón similar.**

recesiones económicas tienen menos posibilidades de sufrirlas; en cambio, las que tienen economías débiles y no están bien preparadas para estos problemas suelen sufrir graves crisis y recesiones.

Si su nación está preparada, hay menos de qué preocuparse. Si su nación no está preparada, es muy probable que se presenten problemas económicos. Para ser solvente, es importante estar atento a esta situación.

2. ¿Qué tan generalizada y eficaz es la educación en materia de economía y liderazgo en su nación? ¿Cuánta gente en su nación cumple de manera sistemática con los principios de la solvencia?

Si la mayor parte de la nación no está en buenas condiciones económicas, es probable que la nación esté en la misma situación y que haya problemas económicos. Además, una nación así la pasará mal en épocas de recesión, por lo que debe preparar su economía teniendo eso en cuenta.

3. ¿Cuál es el porcentaje de empresarios y cuál el de empleados en su país? Esto tiene un impacto en la dirección y el ímpetu de la economía nacional. Los países con grandes cantidades de productores combaten las recesiones económicas mucho mejor que los que tienen cantidades excesivas de trabajadores que dependen de sus puestos de empleo y del próximo recibo de sueldo.

4. ¿A cuánto asciende la deuda de su gobierno y de los ciudadanos? ¿La idiosincrasia dominante evita o estimula el endeudamiento? El endeudamiento es un problema grave que provoca recesiones financieras, y en tiempos difíciles, las naciones muy endeudadas

tienen muchas dificultades para reactivar la economía.

5. ¿Cuántos ahorros para emergencias tienen la nación y los ciudadanos? Quienes tengan más reservas tendrán más oportunidades en los años siguientes que los que no estén preparados.

6. ¿Cuántas personas en su país viven de ingresos pasivos? ¿El enfoque central del gobierno es tener dinero (oro o respaldado en oro) estable, bajos impuestos y regulaciones mínimas a fin de propiciar la libre empresa? Si no, es probable que la recesión golpee la economía, y el golpe será muy fuerte.

7. ¿Están preparados en su comunidad y en su nación para una recesión o depresión prolongada? ¿Por cuánto tiempo podrían mantener sus estilos de vida actuales sin ingresos activos?

Si su nación está preparada, puede hacer frente a los desafíos de la recesión o incluso de la depresión con más eficacia, y es menos probable que pase por estas situaciones. Si no, su preparación personal y empresarial es de suma importancia. Por supuesto, una buena preparación es importante incluso si la nación es próspera.

¿Cuál es el impulso de su país?

Según las respuestas a estas preguntas, ¿parece que a su nación le esperan graves problemas económicos? De ser así, ¿es probable que la mayoría sobreviva e incluso prospere durante malas épocas?

La triste realidad es que en la actualidad muchos países del mundo se encuentran al borde de sufrir desafíos económicos graves, o ya los están enfrentando. Esto es así para las llamadas economías «avanzadas» de Europa y América del Norte, y también en algunas de las economías «occidentalizadas» de Asia como Japón y Corea del Sur. En cambio, unas pocas naciones, incluidos países como China, India y Brasil, se encuentran en condiciones económicas muy superiores.

Como dijimos, los principios de la libertad financiera se aplican a todos los individuos, familias y empresas, y también a ciudades, estados/provincias y naciones enteras. Si su país se encuentra en la zona de riesgo, como sucede con los Estados Unidos o Canadá, prepárese para posibles reveses económicos.

Según nuestro punto de vista, la manera de prepararse se encuentra en los principios de la solvencia explicados en este libro. Si los cumplimos, estaremos preparados para enfrentar la tormenta e incluso prosperar cuando surjan graves problemas económicos.

ESTUDIE LAS FORTALEZAS Y LAS DEBILIDADES DE SU PAÍS, ASÍ COMO LAS DE LA ECONOMÍA NACIONAL (Y LAS DE OTROS PAÍSES EN LOS QUE HAGA NEGOCIOS). AL HACERLO, EMPLEE SU SENTIDO COMÚN PARA CONSIDERAR POSIBLES RECESIONES Y PREPARARSE PARA ELLAS.

Si usted vive en una nación consolidada en estas siete áreas, aplicar los principios de la solvencia le permitirá alcanzar la fortaleza y la prosperidad financiera. Si su país es débil en estos aspectos, es probable que cumplir estos principios sea absolutamente necesario para que su economía sobreviva en los próximos años.

La prosperidad y el capital pueden construirse en países con esas características, pero solo si se cumplen las leyes de la solvencia al pie de la letra.

Conéctese

Otro paso importante de la preparación para el futuro es involucrarse de forma activa en su comunidad y conectarse con los líderes y grupos locales que tomarán la iniciativa en tiempos difíciles. A veces nos concentramos en nuestro trabajo y nuestra familia y no participamos de forma más amplia. Esto suele ser insensato y poco previsor.

> Solvencia significa vivir el tipo de vida que genera éxito económico; no es un esquema para «hacerse rico rápidamente», sino un plan a largo plazo para concentrarse en principios financieros efectivos.

En el libro *Rico como ellos: mi búsqueda puerta a puerta de los secretos de la riqueza en los barrios más exclusivos de los Estados Unidos*, el investigador Ryan D'Agostino describió varias reglas para alcanzar el éxito y la riqueza. Entre ellas se encuentran:

- Abra los ojos y vea las cosas que los demás no ven.
- Corra riesgos calculados.
- No se desvíe de su camino.
- Ignore a quienes se le oponen y confíe en usted mismo.
- Obsesiónese con el trabajo que ama.
- Conéctese con los demás.[35]

Todos estos son buenos consejos, y el último (conectarse con los demás) es muy importante para prepararse para desafíos económicos nacionales o regionales. Quienes no interactúan a menudo con personas ajenas a sus círculos normales tienen más dificultades a la hora de tener éxito económico con el tiempo. Más allá de esto, en tiempo difíciles muchos «despiertan» y comienzan a hacer lo correcto con seriedad.

Si ya está conectado y participa antes de que esto suceda, tendrá la oportunidad de ayudar y liderar a otros cuando estén abocados a cambiar y progresar.

Solo hágalo

Aplique los principios de los últimos dos capítulos a su vida real y aplique sus planes nuevos para implementarlos por escrito. Comience a estudiar los principios e ideas económicos. Por ejemplo, considere leer los siguientes libros sobre la libre empresa (en el orden sugerido):

1. *Cambio de liderazgo* de Orrin Woodward y Oliver DeMille
2. *La economía en una lección* de Henry Hazlitt
3. *La ley* de Frederic Bastiat
4. *Libertad y propiedad* de Ludwig von Mises
5. *Economía básica* de Thomas Sowell
6. *Cómo crece una economía y por qué colapsa* de Peter D. Schiff
7. *Lanzar una revolución de liderazgo* de Chris Brady y Orrin Woodward
8. *El hombre, la economía y el estado* de Murray Rothbard
9. *La constitución de la libertad* de Friedrich Hayek
10. *Acción humana* de Ludwig von Mises

Estudiar los grandes principios de la economía es muy importante para los que quieren ser solventes. Lo que sucede en la sociedad y en los países del mundo tiene una gran influencia en las buenas decisiones económicas. Conocer el campo de juego es vital para la salud económica. Haga que este estudio sea parte de su preparación económica.

Resumen de la Parte IV: Campo de juego

- Entre los principios cubiertos en esta sección se encuentran:

    ▷ PRINCIPIO 42: Estudiar y entender la libre empresa es una parte esencial de la solvencia.

    ▷ PRINCIPIO 43: Las personas solventes que desean mantener un entorno que fomente la oportunidad y la prosperidad suelen prestarles atención a los principios de libertad y a las acciones en curso del gobierno.

    ▷ PRINCIPIO 44: Además de efectivo, ahorre en alguna otra forma que no sea en dinero fiduciario.

    ▷ PRINCIPIO 45: Investigue las inversiones en metal, o las de cualquier otro tipo, antes de efectuar una compra. Haga su tarea. Tómese su tiempo.

    ▷ PRINCIPIO 46: Invierta aún más en usted: aprenda a ser la clase de persona que participa una y otra vez en el tipo de vida emprendedor, creativo y apasionado. Llene sus días de emprendimientos, proyectos, acciones y cosas importantes. Enséñeles a sus hijos y a sus colegas a hacer lo mismo. Conviértase en esa clase de persona y líder que trabaja sistemáticamente en su emprendimiento actual.

    ▷ PRINCIPIO 47: Estudie las fortalezas y las debilidades de su país, así como las de la economía nacional (y las de otros países en los que haga negocios). Al hacerlo, emplee su sentido común para considerar posibles recesiones y prepararse para ellas.

- Comience a estudiar finanzas, libertad y economía.

CONCLUSIÓN

«Apoyar la libre empresa requiere carácter, porque le da poder a los consumidores, no al estado ni a la grandes empresas. Cualquier otro sistema económico alternativo niega los derechos de los consumidores, permitiendo que otra persona sea el árbitro final de los deseos del consumidor y haciendo de la libertad una farsa.»
—CHRIS BRADY Y ORRIN WOODWARD

Una frase muy conocida de Henry David Thoreau dice: «La mayoría de los hombres vive una vida de desesperación silenciosa». Por desgracia, es correcta. La otra alternativa es vivir según nuestro destino y cumplir con la misión que Dios nos ha asignado.

Tenemos un propósito en la vida, y cumplirlo es la gran clave del éxito y la felicidad.

Lamentablemente, la mayoría ha recibido malas enseñanzas, y las aplican a casi todas las áreas de sus vidas, entre ellas, la economía. Esta enseñanza negativa consiste en creer que la vida es difícil y que cuando las cosas se complican, la mejor respuesta es deprimirnos, amargarse por los desafíos a los que nos enfrentamos, culpar a otras personas o circunstancias y básicamente ocultarnos dentro de nuestro caparazón. Esto es exactamente lo opuesto de lo que se necesita.

Cuando la vida nos presenta desafíos, debemos responder con hechos. Como dice un viejo refrán: «Es hora de hacer algo, aunque sea incorrecto». Si tomamos acción, podemos ajustarnos y mejorar. Pero de lo contrario no llegaremos a ninguna parte.

Es simple

La verdad es que el éxito es más simple de lo que muchos creen. Existen principios para el éxito en cualquier emprendimiento, y cuando se aplican los principios correctos, el resultado es que con el tiempo los problemas desaparecen y sobreviene el éxito. Por ejemplo, si no estamos en forma, hacer ejercicio y alimentarnos bien casi siempre solucionará el problema. Es simple, pero no siempre es fácil. De hecho, el éxito suele ser un gran desafío, porque hacer grandes cosas requiere de grandes esfuerzos. De la misma manera, si quiere ser solvente, siga los principios explicados en este libro. Es así de simple. Y funcionará. Ya ha funcionado para miles de personas, y funcionará para usted.

Vale la pena repetir: se *puede* ser solvente. Los principios explicados en este libro funcionan, y no bien comience a aplicar algunos de ellos, estará en el camino correcto hacia la salud económica. Chris Brady y Orrin Woodward escribieron:

> La acción es la clave. El carácter se demuestra mediante la acción de la persona frente a una presión paralizante. Cuando la persona media se esconde como un insecto, el campeón triunfa.
>
> Nunca subestime el poder de las grandes acciones para dar inicio a una serie de eventos que pueden sacarlo de su problema. Suele ser difícil creer en su impacto acumulativo. El progreso genera progreso, los problemas se desvanecen, las oportunidades se dan en una dirección cada vez más positiva y el cielo parece despejarse.[36]

Creemos que ha llegado el momento de poner manos a la obra y ser solvente. Comience con el principio 1. Vuelva a leerlo. Piense en él. Luego llévelo a cabo. *Sólo hágalo.*

Después haga lo mismo con el principio 2. Y así sucesivamente, con todos los principios que aparecen en este libro. Cuando haya cumplido con los cuarenta y siete principios, o incluso cuando esté intentando cumplirlos, verá un progreso sorprendente. La vieja pregunta: «¿Cómo se completa la travesía más larga?» puede aplicarse en este contexto. Como bien sabemos, la respuesta es: «Paso a paso.»

Dé el primer paso ahora. Cumpla los primeros siete principios de este libro, los fundamentos básicos descriptos en la Parte 1. Son solo siete «pasos», pero hacerlo cambiará su vida. No espere. Si aún no ha cumplido los primeros siete principios, hágalo hoy, en este preciso instante. Quédese despierto hasta tarde. No deje este libro hasta que haya elaborado un plan real para implementar estos principios.

Un día que recordará

Hágalo y considerará este día como un punto de inflexión en su vida. Recordará este como el momento en que comenzó a ser solvente de verdad. Estos principios funcionan. Los hemos utilizado y los hemos visto funcionar en nuestras propias vidas, y en las vidas de otros miles de personas.

El primer paso es invertir en usted mismo desde ahora, empezando hoy, y nunca dejar de hacerlo por el resto de su vida.

El segundo paso es escribir el sueño de su vida. Esto es importante porque sin un sueño claro, la mayor parte de sus esfuerzos serán en vano. Es probable que usted trabaje mucho. Esa es la realidad de la mayoría. Pero como dijo Orrin Woodward: «Trabajar mucho sin tener un sueño es como remar en un bote en el medio del océano sin saber cómo llegar a la costa.»[37] Sepa cuál es su sueño, y su trabajo tendrá un propósito.

> **Hágalo y considerará este día como un punto de inflexión en su vida.**

La verdad es que la mayoría de los que trabajan mucho aún

no son solventes. La solvencia real requiere más que esfuerzo; es necesario entender con precisión los principios económicos aquí descriptos. Y la solvencia sólo llega si se aplican los principios.

La buena noticia es que cuando conocemos y aplicamos estos cuarenta y siete principios de la solvencia, nuestro trabajo nos conduce a nuestros sueños. De nuevo, esto le ha sucedido a miles de personas. Escribimos este libro porque queremos que también le suceda a usted.

La opción más triste

No cumplir sus sueños conlleva una vida de desesperación silenciosa. Como escribió Chris Brady: «No todos nosotros morimos al final. Algunos morimos a la mitad.» No sea una de esas personas. No sea normal. No acepte nada que no sea lo mejor. Vivir según las leyes del éxito económico no es difícil. Sólo exige concentración.

Es increíble cuán simple es volverse solvente, y sin embargo muchas personas no se molestan en hacerlo. No saben qué hacer, o creen que los principios de la solvencia son demasiado difíciles o no los aplican.

Esto nos recuerda la historia de una mujer que quería viajar en un crucero lujoso. Ahorró monedas durante años, relegando muchos pequeños placeres para por fin lograr viajar en el crucero de sus sueños. Leyó sobre los diferentes cruceros, imaginándose el día en el que estaría de pie en la cubierta y observaría el hermoso Mar Mediterráneo y las costas de Grecia, Francia, España e Italia.

Ahorró y ahorró, y por fin llegó el gran día. Con entusiasmo, se subió al barco, participó de las actividades y disfrutó del sol y de los hermosos paisajes durante una semana. Para ahorrar dinero con su escueto presupuesto, se salteó las comidas principales y compró pequeños bocadillos en la tienda de regalos. Pasó un poco de hambre durante esa semana, pero le encantó la experiencia.

El último día, un nuevo amigo del crucero la invitó a cenar. Ella respondió que no podía pagar la cena. El amigo, sorprendido, le preguntó: «¿No sabías que todas las comidas están incluidas en el precio del pasaje?».

Muchas personas se comportan como esta mujer. Tienen muchas experiencias, bendiciones y oportunidades incluidas en el precio de admisión a esta vida, pero se las pierden simplemente porque no entienden la perspectiva general.

Esto es muy triste. Los principios son claros y están demostrados. Todo lo que se necesita es acción, pero muchas personas nunca se deciden a aplicar los principios del éxito. En palabras de Orrin Woodward: «Todos apuestan por lo seguro en la vida, aunque ninguno de nosotros saldrá de ella con vida.»

> **Es increíble cuán simple es volverse solvente, y sin embargo muchas personas no se molestan en hacerlo. ¡Sea diferente!**

Disfrute el viaje

Aquí están las buenas noticias. No tiene por qué volver a ser «fláccido» económicamente. Sabe cuáles son los principios. Sabe que funcionan. Ahora, manos a la obra. Aplíquelos. Comience con el principio 1, después el principio 2, después el principio 3, y así sucesivamente. No deje que nada se interponga en el camino hacia sus sueños, en especial algo tan simple como no aplicar estos principios básicos. Cree una avalancha de bienestar económico cumpliendo estos principios de a un copo de nieve a la vez.

Y diviértase mientras lo hace. No se tome la vida tan en serio. Recuerde la siguiente definición:

Espinilla: instrumento para hallar muebles en la

oscuridad.

Si no se está riendo, vuelva a leerlo. Eleve las comisuras de los labios y vea cómo se siente. Se siente muy bien. Se llama «sonrisa».

Tendemos a tomarnos las cosas muy en serio. Mucha gente olvida que se supone que la vida debe ser muy divertida. Hágase un favor y permita que el humor colme su vida. Ríase mucho. Sonría la mayor parte del tiempo. A medida que aplique los principios de la solvencia, comenzará a experimentar el humor, la risa y la diversión en su vida de una forma más natural. Los principios son así de poderosos.

Relájese. Al aplicar los principios del éxito, podrá simplemente dejarse llevar y disfrutar de la vida. Deje que los principios se ocupen de la carga pesada. Este, después de todo, es el deber de los principios. Ellos permiten que ponga muchas cosas en piloto automático, para que así usted pueda concentrarse en las cosas realmente importantes.

Puede escatimar, comer pequeños bocadillos y saltearse las comidas que ya ha pagado con su pasaje en ese crucero llamado vida, o puede aplicar los principios de la solvencia y disfrutar sus fabulosos resultados. La elección es clara: puede vivir una vida de desesperación silenciosa, o puede materializar sus sueños.

Jugar a los bolos

Muchos cometen errores porque no creen que es tan simple. Son como jugadores de bolos que fijan la vista en los bolos y lanzan las bolas a la canaleta. Entonces, alguien les enseña a mantener los ojos en las líneas pintadas cerca de la parte frontal de la pista, y entonces, de repente, comienzan a voltear todos los bolos, o al menos algunos.

Los principios de la solvencia son como las líneas en las pistas de los bolos, y al concentrarse en ellas todo el tiempo, alcanzará muchos más sueños. Sin los principios, se enfrentará a una vida de continuos errores económicos.

Un llamado a la grandeza

Comience hoy. Utilice estos principios. Creemos que cambiarán su vida. El futuro le depara demasiada grandeza como para seguir esperando. Es momento de estar en buenas condiciones económicas. Sabe lo que debe hacer. Ahora es el momento de empezar.

Y no lo haga sólo por usted. El mundo necesita que sea solvente. Necesita que viva sus sueños, sueños que solo pueden hacerse realidad si tiene los recursos y el tiempo para realizarlos. Su ejemplo de capacidad económica puede ayudar a que otros también desarrollen su potencial. De hecho, en el mundo de hoy necesitamos una revolución de solvencia en este momento.

¿Somos los líderes, emprendedores y soñadores que están a la altura de la circunstancias y se distinguen?[38] Necesitamos componer nuestras familias, la fe, la libertad, la economía, y otras cosas en el mundo. Y sólo sucederá si más gente deja de vivir en la esclavitud de los problemas económicos.

Es momento de enviarles una señal a los que se interesan por el futuro. ¡Es hora de adoptar una postura! Si dejamos pasar más tiempo, será demasiado tarde para la mayoría.

La mejor noticia es que éste es un proceso muy simple. Ha aprendido los principios de la solvencia. Ahora sígalos. Aplíquelos a partir de hoy y siempre. Creemos la diferencia, en su vida y en las vidas de todos sobre los que influya en los años por venir.

Es hora de actuar. Es hora de cambiar su vida. Es momento de estar en buenas condiciones económicas.

En este libro, cada capítulo le

> ¿Es usted uno de los líderes, emprendedores y soñadores que saldrá al ruedo y se arriesgará a tener éxito? El mundo necesita que sea solvente. ¡Es hora de tomar posición!

enseñó los principios de la solvencia y al final de cada uno se lo motivó a implementar lo aprendido actuando para cambiar la vida real. Aprender no es realmente aprender a menos que se lo ponga en práctica.

Ahora, cuando termine de leer este libro, se encontrará en una posición única. Sabe algo que muy poca gente en el mundo sabe. Sabe sobre los principios de la solvencia. Sabe lo que tiene que hacer para estar en buenas condiciones económicas. Sabe cómo ser el ejemplo para que otros hagan lo mismo. Sabe lo que necesitan los que lo rodean para que su economía se regularice. Y también sabe lo que su país debe hacer.

Estos conocimientos valen mucho, porque el conocimiento es poder. Pero sólo representan una diferencia positiva si se los pone en práctica. Al leer este libro ha dado el primer paso, y eso es bueno. Pero el próximo paso está por delante, y usted sabe que lo dará. Sabe lo que hará a continuación.

Los fundamentos de la solvencia son cuarenta y siete, y usted los cumplirá.

Los cumplirá por el resto de su vida.

Comenzando *ahora*.

Aspectos básicos

PRINCIPIO 1: Lo que determina el éxito económico no es lo que genera sino lo que conserva. Invierta primero en usted y ahorre lo invertido.

PRINCIPIO 2: El dinero es un don. Tiene un uso específico. Esto significa que usted tiene un cometido. Debe usar su dinero para algo importante, para su familia y otras cosas.

PRINCIPIO 3: Viva de acuerdo a sus medios. Siempre. Sin excepciones. Punto final. Ríjase por un buen presupuesto. Que cada uno de los cónyuges cuente con una pequeña parte para que todos los meses tengan algo de dinero discrecional y no tengan que cuestionarse mutuamente por pequeñas cosas.

PRINCIPIO 4: Deje de recibir consejos económicos de personas que están en bancarrota; recíbalos de aquellos cuya economía usted desea emular.

PRINCIPIO 5: Realice un presupuesto de manera coherente y ahorre para gastos inesperados.

PRINCIPIO 6: Use el 10% de su ingreso para el diezmo. Dé aunque esté en bancarrota. Dar dinero lo coloca en una mentalidad de abundancia y pone cualquier preocupación económica en perspectiva, de modo que dar no debe limitarse a pagar el diezmo. La Biblia clasifica el acto de dar en las siguientes categorías: 1. diezmos y 2. ofrendas.

PRINCIPIO 7: El uso de su tiempo, dinero y talentos para ayudar verdaderamente a los demás, aumentará su felicidad de manera natural. Buscar dinero solo por tenerlo puede influir o no en su felicidad, pero buscar dinero para concretar su cometido, y ayudar y bendecir a los demás lo hará más feliz automáticamente.

La ofensiva

PRINCIPIO 8: Las personas con la visión correcta del dinero se disciplinan para vivir los principios de la solvencia, para tomar decisiones financieras en función de una visión a largo plazo, adoptan el hábito de la gratificación diferida y emplean la naturaleza acumulativa del dinero a fin de materializar sus sueños.

PRINCIPIO 9: Las personas solventes son ávidos lectores e invierten siempre en ellos mismos profundizando su educación, experiencia, habilidades, conocimiento y aptitudes, tanto económicas como de liderazgo.

PRINCIPIO 10: Las personas solventes sobresalen en su trabajo y sus proyectos actuales mientras invierten en sí mismos para realizar su visión a largo plazo.

PRINCIPIO 11: Nunca sacrifique sus principios por dinero ni por posesiones. Sea honesto. Conserve su integridad. Mantenga el orden correcto de sus prioridades.

PRINCIPIO 12: Dedíquese a especializarse en lo que hace (lleva alrededor de 10.000 horas).

PRINCIPIO 13: Las personas solventes no se preguntan: «¿Nos podemos dar el lujo?», sino que se cuestionan: «¿*Realmente* queremos esto? ¿Servirá a nuestro objetivo y sueño? ¿*Cómo* lo hará? ¿De qué formas puede ser una distracción? ¿Costará más dinero mantenerlo o sostenerlo (mediante cosas como seguros o tarifas anuales)? ¿Qué serviría más a nuestro objetivo y a nuestra visión, ahorrar o invertir un mismo monto? ¿Es *este* el mejor momento para realizar esta compra o sería más barato, o simplemente mejor, para nuestra familia o negocio efectuarla después?». Las personas solventes desarrollan el hábito de negarse a hacer compras, aun cuando pueden pagarlas sin problema, y de usar gran parte de su dinero como ahorros o inversiones.

PRINCIPIO 14: Las personas solventes analizan sus movimientos —tanto de vida como económicos— y trabajan para romper con los malos hábitos y profundizar los buenos. Consideran y eligen los hábitos que quieren y necesitan para lograr el sueño de su vida.

PRINCIPIO 15: Sea dueño de su propio negocio, aun si solo comienza trabajando en él medio tiempo. Puede aplicar todos los otros principios de este libro y acumular riquezas con el paso del tiempo, pero quienes los aplican en su propio negocio pueden enriquecerse con mucha mayor rapidez.

PRINCIPIO 16: Aumente su ingreso pasivo al punto que ocurra lo siguiente: 1. la mayor parte de su ingreso sea pasivo, y 2. pueda vivir de su ingreso pasivo.

PRINCIPIO 17: La jubilación no debe ser una cuestión de edad, sino que debe basarse en contar con suficiente ingreso pasivo para mantenerse de por vida. La jubilación implica apartarse de las cosas que no son parte de su objetivo para que pueda concentrarse en el trabajo fructífero de la misión de su vida.

PRINCIPIO 18: Para lograr el verdadero éxito económico, concéntrese en estas cosas: 1. Destáquese verdaderamente en su trabajo y en sus proyectos actuales y, al mismo tiempo, inicie su propio negocio. 2. Dedique las 10.000 horas que se necesitan aproximadamente para obtener el conocimiento de su negocio sin dejar de distinguirse en su trabajo actual. 3. Haga un plan para conseguir la libertad económica alcanzando el punto en el cual el ingreso pasivo de su negocio cubra con creces las necesidades de su familia. 4. Finalmente, una vez que tenga libertad económica, concéntrese en construir su negocio al punto en que pueda financiar el objetivo de su vida. Cada uno de estos pasos requiere la máxima concentración, y deben realizarse de a uno a la vez. Cuando haya logrado uno de ellos, pase al siguiente y préstele el mismo nivel de atención.

PRINCIPIO 19: Encuentre buenos asesores y escúchelos de verdad.

PRINCIPIO 20: Use el dinero en forma productiva —colóquelo allí donde le reporte más de lo que pone—, en vez de gastarlo en forma improductiva. En lo mejor que puede invertirlo es en usted y en su negocio. Use parte de sus ahorros con sabiduría y de forma adecuada a fin de aumentar sus activos y ganancias comerciales.

PRINCIPIO 21: Aparte algo de dinero con el fin de prepararse para el peor escenario posible. No se obsesione con esto, pero tampoco lo ignore.

PRINCIPIO 22: Genere un fondo habitual de ahorros con objetivos específicos para las cosas que quiere comprar más adelante. Incremente este fondo de manera constante y compre artículos de consumo en efectivo (sin financiación).

PRINCIPIO 23: Solo invierta el dinero que puede darse el lujo de perder por completo por fuera de su área de conocimiento. Si decide invertir, invierta solo un poco en esas empresas.

PRINCIPIO 24: Nunca use sus ahorros para especular.

La defensa

PRINCIPIO 25: Deshágase de la deuda.

PRINCIPIO 26: Si no tiene solidez económica, no quede atrapado en la maraña de las "deudas comerciales".

PRINCIPIO 27: No use tarjetas de crédito para mejorar su situación crediticia porque esto casi siempre lleva a que las personas contraigan mayores deudas.

PRINCIPIO 28: Nunca empeñe sus títulos, ni aproveche los préstamos "a noventa días, igual que efectivo", préstamos del día de pago, planes de alquiler con opción a compra, deudas con reserva, ni esquemas similares.

PRINCIPIO 29: Considere sus automóviles como medios de transporte, no símbolos de estatus. Ahorre y pague siempre en efectivo.

PRINCIPIO 30: Para muchas personas, las tarjetas de débito siempre son mejores que las de crédito; el efectivo es incluso mejor.

294

PRINCIPIO 31: Enséñeles a sus hijos y a los jóvenes los principios de la solvencia. Enseñe con el ejemplo. Orientarlos les servirá a ellos y también a usted.

PRINCIPIO 32: Si no es rico, no se deje tentar por segundas hipotecas.

PRINCIPIO 33: Use el método de la reestructuración para pagar todas las deudas con tarjetas de crédito y, luego, aplíquelo a todas sus otras deudas.

PRINCIPIO 34: Aprenda a ser escéptico ante la publicidad, los medios de comunicación y el marketing.

PRINCIPIO 35: Acumule lo material de a poco; elabore un inventario de sus recursos y conocimientos, no de sus objetos.

PRINCIPIO 36: Resuelva su situación con Dios, aplique los verdaderos principios en todos los aspectos de su vida, incluida la economía, ejerza su cometido, sirva al prójimo... y deje que Dios se ocupe de impresionar a los demás.

PRINCIPIO 37: No compre cosas a crédito. El financiamiento inteligente de inversiones comerciales puede ser una buena opción, pero comprar cosas a crédito es como un cáncer. ¡Erradíquelo!

PRINCIPIO 38: Haga que los recuerdos sean parte de su estilo de vida, su presupuesto y su plan de vida. Comience con recuerdos simples y luego agregue algunos más grandes.

PRINCIPIO 39: Tenga mucho pero mucho cuidado al tomar decisiones sobre las zonas de riesgo: impuestos, propiedad del hogar, divorcios, tarjetas de crédito, demandas, seguros, búsqueda de estatus, universidad, adicciones e inversiones. Asesórese con sus mentores económicos y estudie las propuestas en detalle antes de tomar decisiones.

PRINCIPIO 40: Si compra una casa, siga la regla de la duplicación. Por ejemplo, si su ingreso es de $50.000 al año, no compre una casa que cueste más de $100.000. Si quiere una casa más grande, gane más dinero.

PRINCIPIO 41: Si no es solvente y tiene muchos "juguetes", significa que, en realidad, no los merece y está usando sus ahorros o el dinero que tomó prestado en las cosas equivocadas. Si ya ha pagado todas sus deudas, sigue las pautas de ahorro mencionadas en los principios anteriores y tiene el efectivo, usted puede comprar algunos "juguetes" y conservar la solvencia.

Campo de juego

PRINCIPIO 42: Estudiar y entender la libre empresa es una parte esencial de la solvencia.

PRINCIPIO 43: Las personas solventes que desean mantener un entorno que fomente la oportunidad y la prosperidad suelen prestar atención a los principios de libertad y a las acciones en curso del gobierno.

PRINCIPIO 44: Además de efectivo, ahorre en alguna otra forma que no sea dinero fiduciario.

PRINCIPIO 45: Investigue las inversiones en metal, o las de cualquier otro tipo, antes de efectuar una compra. Haga su tarea. Tómese su tiempo.

PRINCIPIO 46: Invierta aún más en usted: aprenda a ser la clase de persona que participa sistemáticamente en el tipo de vida emprendedor, creativo y apasionado. Llene sus días de emprendimientos, proyectos, acciones y cosas importantes. Enséñeles a sus hijos y a sus colegas a hacer lo mismo. Conviértase en esa clase de persona y líder que trabaja constantemente en su emprendimiento actual.

PRINCIPIO 47: Estudie las fortalezas y las debilidades de su país, así como las de la economía nacional (y las de otros países en los que haga negocios). Al hacerlo, emplee su sentido común para considerar posibles recesiones y prepararse para ellas.

Glosario

Acreedores: Personas o entidades a las que una persona o empresa debe dinero.

Activos vs. obligaciones pasivas: Un activo es algo que se posee y que genera dinero adicional, mientras que un pasivo es algo que se posee y que cuesta dinero adicional.

Ahorros: Dinero que se reserva cada vez que se obtiene un ingreso y que nunca se gasta. El nivel de ahorros es la medida de la prosperidad.

Asesor: Consejero o maestro sabio y de confianza / Patrocinador influyente y experimentado. Un buen mentor económico es alguien que haya alcanzado lo que usted desea alcanzar y que viva la vida que usted desea emular.

Automatícelo: Coordine la transferencia automática de un porcentaje de sus ingresos para un propósito específico, como depositar dinero directamente en cuentas de ahorro o el pago de diezmos o deudas antes de percibir un pago.

Buena moneda: La definición tradicional de buena moneda es la que debe poseer las siguientes cuatro características: debe ser longeva, divisible, medible y transportable. Pero esto no abarca muchas monedas que son inestables y que bancos, gobiernos y otros manipulan con facilidad. Por eso, la buena moneda también debe ser estable y no poder manipularse. Sólo el oro y la plata han cumplido con estos seis criterios en la historia humana.

Capital e interés: El capital es la suma de dinero prestada originalmente, mientras que el interés es la suma que se paga por pedir un préstamo para adquirir algo. A veces el interés supera el capital. Siempre averigüe cuál será el costo real sumando el capital y todo el interés que deberá pagar. En la mayoría de los casos, evite pagar intereses.

Cometido: La supervisión y protección responsable de su dinero, activos, energías y otros recursos a fin de construir el reino de Dios de la manera que sienta que es la más adecuada para su llamamiento en la vida.

Compras espontáneas: Adquirir cosas en el momento sin tomarse el tiempo necesario para considerar la sensatez de la compra. Vea la «regla de las 24 horas».

Conocimientos: Dominio o comprensión, referido a una materia. Las personas solventes adquieren conocimientos en su área de especialización, la carrera o empresa que les brinda la mayor parte de sus ingresos. Quienes no obtienen conocimientos reales suelen tener dificultades para lograr el éxito económico.

Construya su tubería: Frase utilizada para comunicar la eficacia de construir su empresa u otras fuentes de ingreso para aumentar sus ingresos pasivos de forma sostenida. Quienes no cuentan con su tubería suelen tener problemas para alcanzar una prosperidad duradera.

Cosas: Cosas que posee que no son necesarias y debería vender. También, las cosas que no son realmente necesarias y no debería comprar.

Cuenta de ahorros: Existen varios tipos de cuentas de ahorros, o de dinero que se guarda en bancos. Uno es el **fondo de emergencia,** en el que se depositan ahorros (con el objetivo de alcanzar al menos entre tres y seis meses de gastos de subsistencia) para un momento difícil, gastos inesperados incluidos, por ejemplo, cuando se descompone una estufa o el motor del automóvil. El segundo tipo son los **ahorros de largo plazo**, en los que se deposita dinero para incrementar el capital. El tercer tipo es el **fondo de ahorros con objetivos específicos,** en el que se ahorra dinero para compras planificadas como un automóvil, un viaje, los estudios universitarios de un hijo, etc.

Depreciación: Disminución del valor de un activo por el paso del tiempo. Nunca utilice crédito para financiar algo que se devalúe.

Deuda: Dinero que una persona le debe a otra o a una entidad. Se deberían evitar la mayoría de las deudas, en especial las deudas generadas por el consumo.

Diezmo: Donar el 10% de sus ingresos a su iglesia u otro destinatario adecuado.

Dinero mercancía Vs. dinero fiduciario: El dinero mercancía tiene valor por sí mismo, como los huevos, el ganado o el oro, mientras que el dinero fiduciario sólo tiene valor porque así lo dispone el gobierno. A lo largo de la historia, se ha demostrado que el respaldo que el dinero fiduciario recibe del gobierno es inestable y riesgoso.

Donaciones: Dinero, además del diezmo, que se otorga para ayudar a otros y apoyar causas nobles.

Economía: Estudio de la acción humana y sus ramificaciones. Entender la economía es fundamental para la solvencia.

Economía de la libre empresa: Sistema económico en el que el gobierno trata a todos por igual, protegiendo sus derechos inalienables y dejando el resto para que cada uno decida. Cuando disminuye el nivel de la libre empresa, siempre aumentan los obstáculos al éxito financiero.

Economía de trueque: Sistema económico sin moneda, en el que las personas truecan sus productos o servicios para satisfacer sus necesidades. Estas economías siempre son primitivas.

Economía planificada: Sistema económico en el que una persona, o pequeños grupos selectos, toman muchas de las decisiones importantes por todos.

Emprendedor: Persona que asume el riesgo de construir cosas y crear valor agregado y ganancias. Las sociedades que incentivan el éxito empresarial son más libres y prósperas que otras.

Emprendimiento: Acción que se toma, en general con riesgo, a fin de alcanzar los propios objetivos. Las naciones que fomentan la empresa a través de la libertad son más prósperas que las que no lo hacen.

Especialización: División del trabajo en las diferentes áreas de trabajo y conocimiento. La especialización permite a las personas obtener conocimientos en diferentes campos y luego intercambiar los frutos de su trabajo. Las sociedades que fomentan la especialización suelen ser más prósperas que las que no lo hacen.

Fondo de emergencias: Fondo que cubre gastos inesperados o de emergencia. Quienes tienen capacidad financiera aportan de forma constante (y a veces automática) una parte de sus ingresos a este fondo a fin de acumular al menos entre tres y seis meses de gastos de subsistencia.

Fondo para momentos difíciles: Vea «fondo de emergencias».

Gasto compulsivo: Hábito de gastar, por lo general a crédito, en cosas que en realidad no son necesarias.

Gastos inesperados: Facturas y costos que surgen de forma inesperada, o en cantidades inesperadas. Los que tengan un fondo de emergencia estarán preparados para estos gastos.

Gratificación diferida: Estado de espera para gastar el dinero en objetos hasta que se puedan pagar de verdad.

Impulso nacional: La dirección económica en la que trabajan los individuos y las empresas, determinada por qué tan fiel es un país a los principios de solvencia.

Inflación: Disminución en el valor del dinero como consecuencia de un aumento persistente y sustancial en el nivel general de los precios relacionado a un aumento de la circulación de dinero. Este suele ser el resultado de la impresión de dinero fiduciario por parte del gobierno.

Ingreso activo vs. ingreso pasivo El ingreso activo se obtiene a partir de un trabajo realizado, por lo que requiere participación activa de su parte; el ingreso pasivo se genera aunque deje de trabajar.

Insolvente: Que no tiene dinero suficiente para pagar sus cuentas y deudas.

Intentar impresionar a los demás: Esforzarse por aparentar un estatus y un éxito más altos que los reales. Esta es una de las razones principales por las qué no se alcanza la solvencia. Vea la «Trampa del estatus».

Interés compuesto: Interés que surge cuando los intereses se añaden al principal, y por tanto dichos intereses también generan intereses. Se cobran intereses por un bien que se le ha financiado, y más adelante también se cobran intereses sobre los intereses. Quienes pagan intereses compuestos por lo general terminan gastando mucho más dinero que el valor de los bienes adquiridos, mientras que los que los perciben ganan dinero más rápido que el resto.

Inversión vs. multiplicador de gastos: El principio de que gastar más que invertir genera naturalmente más gastos y poca solvencia, mientras que más inversiones que gastos crean una mayor capacidad económica. (La inversión se da cuando el dinero se utiliza para adquirir algo que le producirá dinero al inversor; el gasto se da cuando el dinero se utiliza para adquirir algo que no generará más dinero al que gasta, y que incluso le podría costar más dinero en el futuro.)

Invertir en usted: Dedicar tiempo, dinero, esfuerzo, etc. a cosas que aumentarán o mejorarán sus conocimientos y dominio de su campo de trabajo, formación en economía y liderazgo, capacidades personales, negocios, etcétera. Invertir en usted mismo es la forma de inversión más importante que pueda realizar.

Jerarquía de inversión de USTED, Inc.: Jerarquía que clasifica por relevancia las diversas categorías de inversión.

La gallina de los huevos de oro: Su empresa o carrera, que es la fuente de su éxito económico. Cuidar la gallina quiere decir actuar para asegurarse de que el ingreso seguirá generándose.

La regla de la duplicación No debería comprar una casa que cueste más del doble de lo que gana en un año.

La regla de las 24 horas: Si ve una oferta excelente, o cualquier oferta en realidad, debería esperar al menos veinticuatro horas antes de efectuar la compra. Piense en la compra y determine si será una inversión o sólo dinero utilizado y perdido.

Lectura de transformación: Aplicar lo que lee de forma que pueda representar una enorme diferencia positiva en su vida.

Macroeconomía vs. microeconomía: La macroeconomía es el campo de acción humana que trata factores a gran escala como las tasas de interés, la inflación, los impuestos y el gasto nacional, los sectores de la economía, etc., mientras que la microeconomía trata las acciones y elecciones económicas de los individuos, los grupos pequeños y empresas privadas.

Mentalidad de la abundancia vs. mentalidad de la escasez: La mentalidad de la abundancia general es la creencia de que le sucederán cosas positivas a los que aprenden y aplican los principios verdaderos, mientras que la mentalidad de la escasez es la creencia de que no tendrá éxito sin importar lo que haga. Las personas con solvencia adoptan la mentalidad de la abundancia y aplican los principios de la solvencia.

Método de la reestructuración: Técnica que consiste en desendeudarse pagando primero las deudas más pequeñas y luego utilizar el monto de pago de la deuda más pequeña para pagar la siguiente, y así sucesivamente hasta que se hayan cancelado todas las deudas.

Mito económico: Principio económico falso que se considera cierto aunque no sea así.

Multiplicador de gastos: Esto ocurre cuando se gasta tanto en cosas innecesarias que se desarrolla un impulso de gastar cada vez más. Este es un problema económico serio que provoca muchos inconvenientes.

Patrón oro: Sistema en el que la moneda de una nación se fabrica con oro (o plata para cantidades pequeñas) o puede canjearse en forma directa y con facilidad por oro o plata. Los países que usan el patrón oro hacen que la prosperidad sea posible para más gente.

Plan económico escrito: Descripción de los objetivos, estrategias y aplicaciones económicas de los principios de la solvencia de una persona.

Presupuesto: Plan sobre cómo gastar sus ingresos. Un buen presupuesto describe los ingresos con precisión y mantiene los gastos por debajo de los ingresos.

Primero invierta en usted: Este es el primer principio y uno de los más importantes de la solvencia. Quienes invierten en sí mismos en forma constante y siempre conservan este dinero como ahorros son casi solventes. Los que no, por lo general tienen problemas económicos.

Principio: Verdad universal que, si se la aplica correctamente, siempre funciona.

Propósito de vida: Los principales objetivos, sueños y medios de servicio en la vida de una persona.

Prosperidad: Estado de solvencia y de situación económica exitosa y próspera porque ha aprendido y aplicado las reglas de la solvencia.

Recompensa: Beneficio que se otorga a usted mismo cuando alcanza un objetivo previamente establecido.

Reglas de jubilación: Usted está listo para jubilarse cuando cuenta con un ingreso pasivo suficiente como para vivir de por vida.

Reglas de Woodward: El axioma de Orrin Woodward dice que algunos agentes inmobiliarios intentarán convencerlo de que gaste más de lo que debe gastar. Vea «La regla de la duplicación».

Retención: Ahorro de dinero en un lugar seguro para el peor escenario.

Riqueza: Contar con una vía de ingreso pasivo que le permita obtener ingresos mayores a los necesarios para pagar sus cuentas, gastos y placeres. Las personas solventes suelen utilizar el excedente para mejorar el mundo haciendo cosas importantes.

Solvencia: Estado en el que se entiende y se aplican las cuarenta y siete leyes del éxito económico explicadas en este libro.

Trampa del estatus: Atracción por lucir exitoso e importante que puede hacer que gaste dinero más allá de sus posibilidades para mantener las apariencias, cuando en realidad está en bancarrota.

Uso productivo del dinero: Gastar en algo que permitirá obtener más dinero.

USTED, INC.: Frase utilizada para expresar la necesidad de una persona de considerarse a sí misma como una empresa que debe volverse una entidad más fuerte y rentable con el paso del tiempo.

Visión del dinero: Creencias y perspectivas de una persona sobre el dinero, su valor y propósito en la vida, y sobre cómo obtenerlo y utilizarlo.

Viva de acuerdo a sus medios: Esta frase significa que no se debe gastar más de lo que se tiene. Esto es esencial para la solvencia.

Zona económica peligrosa: Situación que probablemente cause problemas económicos significativos si no se planifica y se toman decisiones con inteligencia.

Notas

1. Chris Brady y Orrin Woodward, *LIFE,* pág. 23.

2. *Lanzando una revolución sobre el liderazgo,* pág. 4. *Bastardilla fuera de texto.*

3. *LIFE,* pág. 23.

4. Chris Brady y Orrin Woodward, *Lanzando una revolución sobre el liderazgo,* págs. 3-4.

5. *Lanzando una revolución sobre el liderazgo,* pág. 4.

6. George Clason, *El hombre más rico de Babilonia,* pág. 65.

7. No es una estadística científica.

8. Los nombres y datos sobre la identidad de algunas de las historias que aparecen en este libro han sido modificados para mantener el anonimato de las personas mencionadas.

9. Marcos 8:36, NKJV.

10. Alexandr Solzhenitsyn, «Un mundo dividido».

11. Véase *Fuera de serie* de Malcom Gladwell y *El talento está sobrevalorado* de Geoffrey Colvin para acceder a un debate más profundo del tema.

12. Robert P. Miles, 2004, *La riqueza de Warren Buffet,* pág. 70.

13. Robert P. Miles, 2004, La riqueza de Warren Buffet, pág. 138.

14. LouAnn Loften, «Invierte como una niña (y Warren Buffett),» *U.S. News & World Report, Edición Especial: Informe especial: Los secretos de los ricos, 2012,* págs. *20-24.*

15. *«Discursos sobre Davila», John Carey, ed., Escritos políticos de John Adams,* págs. 323-325.

16. «La verdad os hará libres, Parte II», 7 de noviembre, 2012, claude-hamilton.com.

17. Índice Harper's, *Harpers,* agosto 2011.

18. Addison Wiggin, prólogo de *Oro: el dinero del pasado y del futuro de Nathan Lewis*.

19. Nathan Lewis, *Oro: el dinero del pasado y del futuro, folleto*. Comentarios en paréntesis fuera de texto.

20. Véase www.usgoldandsilveradvisors.com.

21. www.usgoldandsilveradvisors.com.

22. www.usgoldandsilveradvisors.com.

23. Chris Brady y Orrin Woodward, «Introducción a la economía,» audio.

24. *Diccionario etimológico en línea*.

25. *Diccionario etimológico en línea*.

26. Chris Brady y Orrin Woodward, «Introducción a la economía,» audio.

27. Véase William Strauss y Neil Howe, *La cuarta vuelta*.

28. *LIFE*, pág. 133.

29. Véase *LIFE*, págs. 133-134.

30. Laurence Kotlikoff, «Es la tasa de ahorro nacional, tonto», 6 de agosto, 2010, www.kotlikoff.net.

31. OECD Economic Outlook 83 database [base de datos 83 de Panorama económico], valores de 2009.

32. Véase Sheldon Garon, «Por qué los chinos ahorran,» Política exterior, enero 19, 2012.

33. www.usgoldandsilveradvisors.com.

34. Véase Emily Jane Fox, «Number of Millionaires See a Decline in Wealth,» *CNN Money*, 4 de junio, 2012.

35. Véase Ryan D'Agostino, «What the Wealthy Know,» *U.S. News & World Report, Edición especial: Informe especial: Secretos de los ricos, 2012*, págs. *8-11*.

36. *LIFE*, pág. 74.

37. *LIFE*, pág. 139.

38. Véase *LIFE*, pág. 188.

Reconocimientos

Ningún libro es producto de una sola mente creativa. Siempre existen colaboraciones, contribuciones y aportes de muchas fuentes. Este libro, en mayor medida de lo que se acostumbra, es el resultado de los aportes colectivos de muchos participantes apasionados. Gracias a Chris Brady y Orrin Woodward por las construcciones y contenidos creativos de muchos de sus trabajos orales y escritos. Apreciamos especialmente la contribución de Oliver DeMille. Gracias también a Laurie Woodward, Terri Brady, Tim y Amy Marks, Claude y Lana Hamilton, Bill y Jackie Lewis, Dan y Lisa Hawkins, George y Jill Guzzardo, y Wayne y Raylene MacNamara. Gracias también a todas las personas que utilizaron nuestra educación económica y nos permitieron citarlos y contar sus historias en el manuscrito. Randy Robson realizó un trabajó magnífico en el área de investigación y dirección creativa, así como también una gran parte de la carga pesada del libro de ejercicios complementarios. Deborah Brady y Wendy Branson llevaron a cabo un excelente trabajo en la edición y profesionalización del libro, salvándonos de nosotros mismos una vez más. Bill Rousseau, como siempre, mantuvo el proyecto encaminado a pesar de los contratiempos. Norm Williams, como suele hacerlo, realizó un magnífico trabajo en el arte de tapa y el diseño. Ryan Renz, Emily O'Boyle, Andy Garcia, Jordan Woodward y Chris Janes ayudaron a concebir, producir y editar los videos y grabaciones de audio complementarios. William Sankbeil y su equipo nos brindaron una excelente orientación legal. Y como siempre, Rob Hallstrand realizó un estupendo trabajo coordinando los diversos esfuerzos en Obstaclés Press. A todos ustedes, ¡qué el cielo oiga sus plegarias!

SUSCRIPCIONES

SERIES LIFE

Vivimos nuestras vidas en las ocho categorías de Fe, Familia, Economía, Solvencia, Seguimiento, Libertad, Amistad y Diversión. Las series LIFE mensuales de 4 CDs y un libro están diseñadas específicamente para brindarle información que le cambiará la vida en cada una de estas categorías. Si está interesado en una de estas áreas, o en las ocho, le encantará recibir verdades atemporales y estrategias eficaces para vivir una vida de excelencia, presentadas de forma entretenida, inteligente, conocedora e introspectiva. Se ha dicho que la vida es nuestra, pero no es nuestra para desperdiciarla. ¡Suscríbase a la Serie LIFE hoy y aprenda como hacer que su vida valga la pena!

La serie LIFE: dedicada a ayudar a que la gente crezca en cada una de las ocho categorías: Fe, Familia, Economía, Solvencia, Seguimiento, Libertad, Amistad y Diversión.
Se envían 4 CDs y un libro todos los meses.
$50 más gastos de envío
El precio es para Estados Unidos y Canadá.

SERIE LLR

Todos seremos llamados para tomar la delantera en algún momento de nuestras vidas... por lo general, en varios momentos. La pregunta es si estaremos listos cuando ocurra. La Serie LLR se basa en el bestseller del *New York Times Lanzando una revolución sobre el liderazgo*, en la que los autores Chris Brady y Orrin Woodward nos explican el liderazgo de una forma que puede aplicarse a todos. Ya sea que busque un crecimiento corporativo o empresarial, la influencia en la comunidad, el impacto religioso o un mejor cometido y eficacia en su hogar, los principios y detalles explicados en la Serie LLR le brindarán lo que necesita.

Los suscriptores recibirán 4 CDs y un libro sobre liderazgo todos los meses. Los temas tratados incluyen economía, liderazgo, discursos en público, actitud, fijación de objetivos, asesoramiento, planificación de tácticas, contabilidad y registro del progreso, niveles de motivación, niveles de influencia y legado personal.

¡Suscríbase a la Serie LLR y comience a aplicar estas verdades que le cambiarán la vida hoy!

La Serie LLR (siglas en inglés de *Lanzando una revolución sobre el liderazgo*) está dedicada a ayudar a otros a desarrollar su capacidad de liderazgo.
Se envían 4 CDs y un libro todos los meses.
$50 más gastos de envío
El precio es para Estados Unidos y Canadá.

¡No se pierda el programa 3 GRATIS!

Cuando un cliente o miembro se suscribe a uno o más paquetes, esa persona recibe un incentivo mayor para atraer a otros suscriptores.

¡Si un suscriptor suscribe a tres o más clientes por un monto igual o mayor, esa persona recibirá su próxima suscripción SIN COSTO!

SERIE AGO

Si ha seguido a Cristo toda su vida o acaba de comenzar el viaje, le damos la bienvenida a la experiencia de amor, alegría, comprensión y propósito que sólo Cristo puede ofrecerle. Esta serie está diseñada para tocar y nutrir los corazones de todos los niveles de la fe. Nuestros prestigiosos oradores e invitados especiales mejorarán su entendimiento del plan de Dios para su vida, su matrimonio, sus hijos y su carácter, al mismo tiempo que le brinda apoyo y consejos valiosos que resultarán de gran ayuda para todos los cristianos. Nutra su alma, refuerce su fe y encuentre respuestas mientras viaja o en la tranquilidad de su hogar con la Serie AGO.

Serie AGO (All Grace Outreach) - dedicada a contribuir al crecimiento espiritual.

Se envía un CD y un libro todos los meses.
$25 más gastos de envío
El precio es para Estados Unidos y Canadá.

SERIE EDGE

Diseñada especialmente para los que se encuentran en el primer tramo de la vida, este es un enfoque experto y sin banalidades para aprender lo necesario para lograr el éxito.

No le preste atención al ruido generado por las opiniones de los demás sobre quién es y quién debería ser usted. En su lugar, averígüelo usted mismo en forma intensa, a partir de la información trascendental que pueden brindarle personas que darían casi cualquier cosa por haber aprendido estas verdades mucho antes. Puede haberles llevado toda la vida descubrir la sabiduría y el conocimiento, pero ahora usted tiene la oportunidad de aprender de sus experiencias todos los meses.

Serie Edge - dedicada a ayudar al crecimiento de los jóvenes.
Se envía 1 CD todos los meses.
$10 más gastos de envío
El precio es para
Estados Unidos y Canadá.

ALL GRACE
OUTREACH

All Grace Outreach [Alcancemos la gracia] comenzó originalmente en 1993 en Maine como «Christian Mission Services» [Servicios para la misión cristiana]. En marzo de 2007, la organización se trasladó a Michigan y el nombre se cambió por All Grace Outreach. All Grace Outreach es una organización de beneficencia 501(c)3, lo que significa que todas las contribuciones son deducibles de impuestos. All Grace Outreach se compromete a brindar asistencia a los más necesitados. Nuestro objetivo principal es difundir el evangelio de Jesucristo en el mundo y ayudar a los maltratados, abandonados y a los niños y viudas afligidos.

Misión y visión: Impactar en las vidas de los niños y mejorarlas, tanto a nivel local como mundial, y financiar los esfuerzos de Cristo por llegar a todas partes del mundo.

Aquí se mencionan parte de las organizaciones que se mantienen con sus donaciones:

Founders Ministries
A New Beginning Pregnancy Center
PLNTD
GAP Ministries
Wisdom for the Heart
Samaritan's Purse
Milwaukee Rescue Mission
Ligonier Ministries
Shepherds Theological Seminary
Zoie Sky Foundation

www.allgraceoutreach.com